my name came up

Kosovo - exile and return

2 4 F

16

më li emni

Kosova - dëbimi dhe kthimi

D1581273

REFUGEE
COUNCIL

Acknowledgments

First published in 2000 by the
Refugee Council
3 Bondway
London SW8 1SJ
Telephone: 020 7820 3000
Fax: 020 7582 9929
www.refugeecouncil.org.uk
Registered charity No. 1014576
Registered company No. 2727514

© Refugee Council
ISBN 0-946787-38-7

Editor: Rod Harbinson
Design: Philip Harris Jones and Richard Nash at www.Limegreenhorse.com
Copy editors: Andy Charman and Rod Harbinson
Albanian editor: Armend Bërlajolli
Albanian translator: Martin Qesku
Albanian proof editor: Gazmend Bërlajolli

Further editing and input by: Sophie Bond, Patricia Coelho, Gabrielle Fox, Chrissie Gittins, Mathew Grenier, Naomi Muller, Julia Purcell, Kirsten Walton and Richard Williams.

Acknowledgments

We are very grateful to all those who have given contributions, information and advice to make this book possible. The following deserve special mention: Albanian Youth Action, Balkan Peace Team, The British Home Office, British Red Cross, European Council on Refugees and Exiles, The Guardian Newspaper, International Organisation for Migration, Klubi Kosova, Kosovar Albanian community in Derby, all local authority staff who have worked with Kosovars, the Poetry Society, Refugee Action, Refugee Council, Scottish Refugee Council, United Nations High Commissioner for Refugees and the United Nations Environment Programme.

Printed by N.P.L printers Ltd, unit 30, Bookham Industrial Park, Church Road, Bookham, Surrey, KT23 3EU.
This publication is printed on 75% recycled, 170gsm Revive Silk paper supplied by Lunnons Ltd.

Mirënjohjet

Botuar për herë të parë në korrik 2000 nga Këshilli i Refugjatëve,
3 Bondway,
London SW8 1SJ.
Telephone: 020 7820 3000
Faks: 020 7582 9929
www.refugeecouncil.org.uk
Shoqatë bamirëse e regjistruar me Nr. 1014576
Kompani e regjistruar me Nr. 2727514

©Këshilli I Refugjatëve
ISBN-0-946787-38-7

Redaktor: Rod Harbinson
Dizajni: Philip Jones dhe Richard Nash
www.Limegreenhorse.com
Kolegjiumi i redaksisë: Andy Charman dhe Rod Harbinson
Redaktor i shqipes: Armend Bërlajolli
Përkthyes i shqipes: Martin Qesku
Korrektor i shqipes: Gazmend Bërlajolli

Redaktimi shtesë dhe bashkëpunëtorët: Sophie Bond, Patricia Coelho, Gabrielle Fox, Chrissie Gittins, Mathew Grenier, Naomi Muller, Julia Purcell, Kirsten Walton dhe Richard Williams.

Mirënjohje

Ua dimë për nder të gjithëve që kanë dhënë ndihmë, informacion dhe këshilla për ta bërë të mundur botimin e këtij libri. Të maposhtmit meritojnë të përmenden veçmas. Veprimi Rinor Shqiptar, Ekipi i Paqes së Ballkanit, Zyra e Mbrendshme Britanike, Kryqi i Kuq Britanik, Këshilli Evropian për Refugjatë dhe Azilantë, Gazeta Ditore 'The Guardian', Organizata Ndërkombëtare e Migrimit, Klubi Kosova, Komuniteti i Shqiptarëve të Kosovës në Darbi, i gjithë personeli i pushtetit vendor që ka punuar me kosovarët, Shoqata e Poezisë, Veprimi Refugjat, Këshilli i Refugjatëve, Këshilli Skocez i Refugjatëve, Komisioneri i Lartë i Kombeve të Bashkuara për Refugjatë, Programi për Ambientin i Kombeve të Bashkuara.

Shtypur nga N.P.L shtypësit, njësia 30, Bookham industrial park, Church Road, Bookham, Surrey, KT23 3EU. Ky botim është shtypur në letër 75% të ripërpunuar, 170gsm Revive mëndafsh letër, e furnizueme prej Lunnons Ltd.

Contents

Përmbajtja

Foreword

A year after the Kosovan conflict exploded onto the front pages, the politicians and media have grown weary of the legacy of Europe's most recent war. The power-charged pyrotechnics of the NATO bombing are but a distant echo, leaving in its wake an altogether more complex situation, still far from resolved.

This book brings together the words of Kosovar evacuees and those that have worked with them over the past year to portray the human face of a tragedy which has touched so many lives – from those that have suffered to those that have given their support. The photographs that accompany them have been donated by dedicated photographers, who have gone to great lengths and personal risk to expose the truth of the Kosovan situation.

Since the first evacuation from the crowded camps on the Macedonian border, the Refugee Council together with other charities and local authorities, has worked hard to meet the demands of receiving over 4000 Albanian Kosovars to the UK, from emergency housing in reception centres to helping people find their feet in the local community, to advising evacuees on the difficult matter of returning to Kosovo.

Kosovo demonstrated that NATO could win the war, but the international community has still to win the peace. This long and arduous task requires painstaking rebuilding of lives, buildings, institutions and above all trust. The violence and insecurity that remain in Kosovo today show that there is much work still to be done in building a peaceful society. Coming at the first step down this path to rebuilding peace, this book is also an appeal to the international community to stay the course and not to turn its back on its responsibilities in Kosovo.

Nick Hardwick
Chief Executive, the Refugee Council

Parathënie

Vetëm një vit pasi konflikti në Kosovë vërshonte faqet e para të shtypit, politikanët dhe media duken të lodhur nga trashëgimia e luftës më të fundit në Evropë. Teknika verbuese e bombardimeve të NATO-s tash është vetëm një jehonë e largët që po lë mbrapa një gjendje edhe më të ndërlikuar, ende larg zgjidhes.

Ky libër përmbledh rrëfimet e të shpërngulurve kosovarë dhe të atyre që punuan me ta gjatë vitit të shkuar. Ato fjalë përshkruajnë shembëlltyrën njerëzore të asaj tragjedie që preku aq shumë jetë: të atyre që vuajtën dhe të atyre që u ndihmuan. Ilustrimet në libër janë dhuratë e fotografëve që me përkushtim e me rreziqe të mëdha e nxorën në shesh të vërtetën për gjendjen në Kosovë.

Që prej evakuimit të parë prej kampeve të stërmbushura me refugjatë në kufirin maqedonas, Këshilli i Refugjatëve së bashku me shoqata të tjera humanitare dhe me organe të qeverisjes vendore e nisën një punë të madhe për t'i pritur më se 4000 shqiptarë të Kosovës që erdhën në Britani. Duheshin ndrequr sa më parë qendrat e pritjes për banim, duheshin ndihmuar të ardhurit të përshtateshin me banorët vendës, e, në fund, t'i këshillonin të strehuarit për kthim në Kosovë, që s'është gjë e thjeshtë.

Kosova dëshmoi se NATO-ja mund ta fitonte luftën, por tani i mbetet bashkësisë ndërkombëtare ta fitojë paqen. Kjo detyrë e gjatë dhe e vështirë, kërkon mëkëmbjen e jetëve të njerëzve, të godinave, institucioneve e mbi të gjitha të besimit. Dhuna dhe pasiguria e sotme në Kosovë tregojnë se mbetet ende shumë punë për ta ndërtuar një shoqëri që jeton në paqe. Dalja e këtij libri, në hapat e parë nëpër rrugën e rindërtimit të paqes, përbën një thirrje për bashkësinë ndërkombëtare që ta vazhdojë rrugën e nisur e të mos ua kthejë shpinën përgjegjësive të veta në Kosovë.

Nick Hardwick
Drejtor i Përgjithshëm i Këshillit të Refugjatëve

Kosovar Albanian refugee at a camp in Tirana, Albania.
Photo by Carlos Reyes-Manzo.

Nji refugjat shqiptar prej Kosove në kamp në Tiranë, Shqipni.
Fotoja nga Carlos Reyes-Manzo.

Introduction

In April 1999, the UK Government participated in a Humanitarian Evacuation Programme, airlifting thousands of people who had been forced out of their homes in Kosovo into camps in Macedonia.

Over an eight-week period, from April–June, 4346 Kosovars were flown to the UK and supported by the refugee agencies and the local authorities in northwest England, Yorkshire and Scotland. The Kosovan Programme was an inter-agency initiative involving the Refugee Council, Refugee Action, Scottish Refugee Council, the British Red Cross, the Home Office, the International Organisation for Migration, the UNHCR and local government. It was a massive operation and, within the timeframe, was one of the largest assisted movements of people that the UK has dealt with. Television and newspapers brought daily images of the atrocities in Kosovo and Kosovars themselves bore testimony to the terrible events they had experienced.

During the conflict, over one third of houses were destroyed; factories, shops and hospitals were burnt; wells poisoned and over 1.4 million people were driven from their homes. It will never be known how many thousands died.

The outpouring of public support and sympathy was overwhelming: in the Refugee Council the telephones rang constantly with offers of help, housing, clothes and toys.

My own involvement began on 25th April when I accompanied the first flight from Skopje in Macedonia to Leeds/Bradford airport in the UK. For me, the journey started in Stenkovec camp, when I boarded the waiting buses to introduce myself and explain to people where they were going and what was going to happen to them. I was conscious that, for many, the exodus from Kosovo was the first time they had left their own country. The most asked question was, 'When we go to England, will we be living in tents?'. For several weeks many of them had been living 20 to a tent, sleeping on muddy ground with only a blanket for warmth.

At the last moment, a young woman, having heard rumours that her husband might be somewhere in the camp amongst 25,000 people, decided to stay behind with her five-year-old son. Her sisters and her mother-in-law wept as they boarded the bus and left her and the boy behind.

Finally, the aeroplane took off, and as I looked around me at my fellow passengers and heard their stories, I realised that everybody on that flight had lost someone – everybody left someone behind.

Refugee camp, Tirana, Albania.
Photo by Carlos Reyes-Manzo.

Hyrje

Në prill të 1999-ës qeveria britanike mori pjesë në evakuimin e mijëra njerëzve që qenë shtrënguar t'i braktisnin shtëpitë e veta në Kosovë e të shkonin në kampet e Maqedonisë.

Nga prilli deri në qershor, për tetë javë me radhë, 4346 kosovarë u nisën me aeroplanë për në Mbretërinë e Bashkuar me ndihmën e agjencive të refugjatëve dhe të qeverisë vendore në Anglinë veriperëndimore, në Jorkshir dhe në Skoci. Programi i Kosovës ishte iniciativë ndërmjet agjencive që përfshiu Këshillin e Refugjatëve, Veprimin e Refugjatëve, Këshillin Skocez të Refugjatëve, Kryqin e Kuq Britanik, Zyrën e Brendshme, Organizatën Ndërkombëtare të Migrimit, UNHCR-në dhe qeverinë vendore.

Një operacion i tillë, në atë masë dhe brenda një kohe aq të shkurtër, ishte njëri nga më të mëdhejtë që Britania i ka pasur. Televizioni dhe shtypi jepnin pamje të përditshme të krimeve që kryheshin në Kosovë, dhe vetë kosovarët dëshmonin për tmerret që kishin hequr.

Gjatë konfliktit u shkatërruan më se një e treta e shtëpive; u dogjën fabrika, shitore e spitale; u helmuan puset, dhe mbi 1,4 milionë njerëz u dëbuan nga shtëpitë e veta. Kurrë s'do të merret vesh se sa mijëra njerëz vdiqën.

Mbështetja dhe keqardhja e publikut ishin të jashtëzakonshme: në Këshillin e Refugjatëve telefonat cingërronin pa pushim me oferta për ndihma, strehim, veshje dhe lodra.

Unë nisa të merrem me refugjatët me 24 prill, kur shoqërova udhëtarët e aeroplanit të parë që u nis nga Shkupi për në aeroportin e Lids/Bredfordit të Britanisë. Udhëtimi për mua nisi që në kampin e Stenkovecit, kur hipja autobus më autobus për t'u njohur me njerëzit dhe për t'u shpjeguar se ku po shkonin dhe çka do të bëhej me ta. Isha e vetëdijshme për faktin se për shumë syresh ikja nga Kosova ishte hera e parë që largoheshin nga vendi. Shumica më pyetnin: "Po kur të shkojmë në Angli, në çadra do të rrimë?" Një pjesë e madhe kishin ndenjur me nga 20 frymë për çadër, kishin fjetur në tokë vetëm me një batanije për t'u mbrojtur nga të ftohtit.

Në çastin e fundit para nisjes, një grua e re, sapo dëgjoi se i shoqi mund të ishte diku në atë kamp ku mizëronin rreth 25.000 vetë, vendosi bashkë me të birin pesëvjeçar të mos vinte. Motrat dhe nëna e saj qanin tek vetë hipën në autobus dhe i lanë prapa at, amë e bir.

Më në fund aeroplani u nis. Hodha sytë përqark dhe pashë fytyrat e bashkudhëtarëve të mi. I dëgjova ç'tregonin dhe e kuptova se të gjithë sa ishin aty e kishin humbur dikend - çdokush e kishte lënë dikë mbrapa.

Atat që erdhën në Britaninë e Madhe në atë kohë qenë zgjedhur ndër mijëra vetë që ndodheshin në kampe, sepse ishin më të brishtit. Më tepër se gjysma ishin të mitur e të moshuar; mandej kishte nga ata që vuanin nga ndonjë sëmundje, mashkuj që ishin mbajtur në burg nga sërbët, gra të cilave u ishin vrarë burrat ose u qenë zhdukur. Për ekipet e britanikëve puna për të vendosur se kush duhej të vinte në Britani e kush s'mund të vinte ishte e rëndë.

Kamp i refugjatëve, Tiranë, Shqipni.
Fotoja nga Carlos Reyes-Manzo.

Introduction

The people who came to Britain at that time were selected from the thousands in the camps because they were the most vulnerable. More than half of them were children or the elderly; then there were those with medical conditions, men who had been detained by the Serbs, women whose husbands had been murdered or had disappeared. For the British Government teams, choosing who should stay and who should go was a staggering task.

And so it continued, with up to six flights a week. People had few belongings; what they brought with them instead was bewilderment and dignity, grief and dispossession.

It is a fact that people cannot put their lives on hold; there must be some continuity to make sense of the disruptions and the dislocations. The Kosovars who came to Britain during that time were supported in their efforts to adjust. They were assisted in learning English, in sending their children to school, and in looking for work in order to regain their independence and self respect. And throughout, everyone was intent on following events in Kosovo as the NATO bombing continued.

On 10th June, the Peace Accord was signed, and from that moment Kosovars started to return in their thousands. The first return flight left the UK in July 1999, exactly one month after the last incoming flight, and over the next weeks people continued to go back at a steady rate. Returning throughout the winter months, people faced the prospect of long cold weeks in half-destroyed houses, tents or temporary shelters, relying on food aid for their survival.

I went back to Macedonia in December 1999, accompanying the first Explore and Prepare visit arranged by the British Government. Explore and Prepare was an opportunity for people to see for themselves what had happened to their country, to try to find their families and to begin the process of rebuilding.

Flying in to Skopje airport to begin the overland journey back to Prishtina, I was full of memories of that other journey seven months before. Crossing the border into Kosovo, I saw remnants of the camps that had once housed so many people.

Once again I looked around me at my fellow passengers and understood that this journey was not only about preparation; it was about finding out. One man told me:

'My wife wanted to come, but we have a small baby and four young daughters and I couldn't bring them back when I didn't know what I was

Hyrje

Vazhduan vajtje-ardhjet me nga gjashtë fluturime në javë. Njerëzit kishin pak gjë me vete; por të gjithë bartnin dukshëm çoroditje dhe krenari, dhembje dhe zhveshje.

Dihet se njerëzit s'mund t'i thonë jetës "ndal"; duhet të vazhdojë jeta për t'i dhënë një kuptim kësaj përthyerje e zhvendosje. Kosovarët që erdhën në Britani gjatë asaj kohe gjetën përkrahje në përpjekjet e tyre për t'u përshtatur. I ndihmonin për ta mësuar anglishten, për t'i çuar fëmijët në shkolla, madje edhe për të kërkuar punë me qëllim që ta fitonin prapë pavarësinë vetanake dhe ta vinin në vend sedrën e lënduar. Dhe gjatë kësaj kohe që të gjithë ndiqnin me vëmendje ngjarjet në Kosovë teksa NATO-ja i vazhdonte bombardimet.

Më 10 qershor u nënshkrua marrëveshja e paqes dhe që nga ajo ditë me mijëra kosovarë zunë të kthehen në atdhe. Aeroplani i parë me kosovarë u nis nga Mbretëria e Bashkuar në korrik të 1999-ës, plot një muaj pas fluturimit të fundit të ardhjes. Ritmi i kthimit në atdhe vazhdoi për javë me radhë parreshtur. Njerëzit që ktheheshin në ato ditë dimri, i prisnin muajt më të ftohtë në shtëpi gjysmë të rrënuara, ose nëpër çadra e vendstrehime të përkohshme, me ndihma ushqimore sa për të gjallëruar.

Në dhjetor të 1999-ës shkova prapë në Maqedoni për të shoqëruar vizitorët e parë të Programit Kontroll dhe Përgatitje, të organizuar nga qeveria britanike. Ky program u jepte mundësi njerëzve të shihnin me sytë e vet se çfarë kishte ndodhur në atdheun e tyre, si dhe të përpiqeshin t'i gjenin njerëzit e familjes, apo të fillonin punën e rindërtimit.

Duke udhëtuar drejt aeroportit të Shkupit prej ku do ta nisja udhëtimin më tokë për t'u kthyer në Prishtinë, më kapluan kujtimet e udhës që kisha bërë shtatë muaj më parë. Tek kaluam kufirin dhe hymë në Kosovë, pashë mbeturinat e kampeve që kishin qenë dikur strehë e aq shumë njerëzve.

Përsëri hodha vështrimin përqark. Pashë bashkudhëtarët e mi dhe e kuptova se ky udhëtim nuk ishte vetëm që të përgatiteshin; qëllimi i tij ishte edhe të shihnin gjendjen. Një njeri më tha:

"Deshi gruaja që të vija, por ne kemi një foshnjë dhe katër vajza të vogla, dhe s'kisha si t'i merrja me vete pa e ditur vetë më parë se ku po i çoja. Veç ta mendoni se çfarë kemi hequr në Kosovë. Ende kam ankthe."

Më tha se kishte qenë me fat. Motra i kishte treguar se shtëpinë ia kishin zënë sërbët, po nuk ia kishin djegur. "Ka plot gjëra që s'mi ka thënë, shumë gjëra që kanë ndodhur që ende nuk i kam marrë vesh. Ka gjëra që mbeten sekret, e kupton?"

Pas disa javësh u ktheva në Londër dhe e takova prapë atë njeri. Atëherë ma rrëfeu një nga ato sekrete. Si u ndamë atë natë në stacionin e autobusëve në Prishtinë, ai qe nisur drejt e për në shtëpi. Shtëpia qe djegur deri në themel dhe gjithë gjërat e shtëpisë qenë vjedhur a shkatërruar. Nga jeta e shkuar s'kishte mbetur më gjurmë, asnjë shenjë se ai me të motrën, me gruan e

Introduction

bringing them to. You have to think how it was for us in Kosovo. I still have nightmares.'

He said he was fortunate; his sister had told him that the family home, although occupied by Serbs, had not been burnt. 'There are many things she has not told me, many things happened that I don't yet know about. You know there are secrets.'

A few weeks later, I returned to London and met him again. He told me one of those secrets. After we had said goodbye that evening in Prishtina bus station he went straight to his house. It had been burnt to the ground and every item of furniture either looted or destroyed. There was no trace of his former life, no sign that he, his sisters, his wife and children had ever lived there.

I have never had to leave my home, my country, my livelihood, my friends, or had to wonder if the people I love are alive or dead. I have never had to make that journey and then start again. It seems to me that the single word 'refugee' is inadequate to describe this. Each person returning on the bus that day had been through their own separate hells, felt their private pain and apprehension and were fearful of what they would find. The dentist, the farmer, the lawyer, the factory worker – ordinary people in extraordinary circumstances.

In Kosovo now, a year on from the NATO bombing, the process of reconstruction and rebuilding continues. The situation is still volatile; the hoped for stability has not been achieved. It takes time to restore a balance after years of imbalance, to set up the rules of governance, to put in place the institutions that are needed to make a society function. Many of the Kosovars who came to the UK on the Humanitarian Evacuation Programme are back there now and assisting with that process. For others, the more vulnerable, it is too early for them to go home. And, like all refugees, the most important thing is to be able to return to their own country in safety and with dignity.

Hyrje

me fëmijët kishte banuar dikur aty.

Mua kurrë s'më është dashur të largohem nga shtëpia, nga atdheu, nga miqtë. Kurrë s'kam pasur rrezik të më pritet burimi i jetesës. Kurrë s'më është ndrydhur zemra për njerëzit e mi, i kam të gjallë a të vdekur. Kurr s'më është dashur t'i hyj një udhe e ta nis rishtas. Më duket se ajo fjalë e vetme "refugjat" nuk mjafton për ta përshkruar këtë gjendje. Secili njeri që kthehej me atë autobus, atë ditë kishte në krahëror skëterrën e vet, kishte dhembjen e vet, kishte mallkimin e frikës për çka i priste. Dentisti, bujku, avokati, punëtori i fabrikës – njerëz të zakonshëm në rrethana të jashtëzakonshme.

Një vit prej bombardimeve të NATO-s, në Kosovë vazhdon procesi i rindërtimit, i ribërjes. Gjendja ende është tejet e paqëndrueshme; qëndrueshmëria e shumëpritur ende s'është vendosur. Duhet kohë për ta rivendosur një ekuilibër të prishur për vite me radhë, për t'i hedhur themelet e rregullave të qeverisjes, për të vënë në vend institucionet e nevojshme që shoqëria të mbahet në këmbë. Shumë prej kosovarëve që erdhën në Mbretërinë e Bashkuar me Programin e Evakuimit Humanitar tani janë prapë në Kosovë dhe ndihmojnë këtë proces. Për disa të tjerë – ata më të pambrojturit – ende s'ka ardhur koha për t'u kthyer. Dhe besoj se po ata britanikë që i pritën krahëhapur kosovarët një vit më parë, e kuptojnë këtë gjë, njëlloj si ata që punojnë me refugjatët dhe duan t'i shohin kosovarët të kthehen në atdhe me siguri e me dinjitet.

all the windows had shattered

krejt xhamat ishin thye

In 1992 I received the call up for conscription to the Yugoslav army. Many of my friends had been sent to the Serb front line in the war with Croatia and Bosnia and many had died, forced to fight a war they did not belong in. The choice was simple – to follow them or to flee, as many of us did, to countries throughout Europe and to seek asylum.

News of Serb repression, from family and friends in Kosovo, escalated after my arrival in the UK. For years people lived under a brutal regime which denied even basic rights and facilities to Albanians such as schools and medical care. When this intolerable situation finally erupted into a war characterised by atrocities against the civilian population, my thoughts were with my elderly father.

Last time I had spoken to him on the phone he told me that some Serb paramilitaries had planted a bomb near our house and all the windows had shattered. It was March 1999 and the conflict was spreading in the cities. Those were difficult times for people still in Kosovo and for those of us who were living elsewhere. All we could do was watch the news and pray that our

Në vitin 1992 më erdhi thirrja për me shkue në ushtrinë jugosllave. Shum shokë të mi i kishin çue në frontin sërb në luftën me Bosnën e Kroacinë, dhe shum prej tyne kishin vdekë, të detyruem me luftue në nji luftë që nuk ish e tyne. Zgjidhja ishte e thjeshtë, me përfundue si ata ose me ikë prej aty, si bamë shum prej nesh, e me kërkue azil nëpër Evropë.

Mbasi që erdha në Angli, merrsha lajme prej familjes time për shtuemjen e shtypjes prej sërbve. Me vjet të tana njerzit kanë jetue nën nji regjim që ua mohonte njerzve të drejtat ma themelore, ate për me u shkollue e me u mjekue. Kur kjo gjendje e padurueshme ma në fund eskaloi në nji luftë që u karakterizue me vrasjet e civilëve, unë mendjen e kisha te baba jem.

Herën e mbramë që kisha folë me te në telefon, më pat kallxue se paramilitarët shkije e kishin vue nji bombë para shtëpisë tonë dhe krejt xhamat ishin thye. Ishte kjo në mars të vitit 1999 kur lufta nisi me u përhapë edhe nëpër qytete. Ishin kohna të vështira këto, si për ata që kishin mbetë në Kosovë, ashtu edhe për neve që ishim jashtë saj. Krejt çka mujshim me ba ish me i kqyrë lajmet e me u lutë se ma të dashunit tanë ishin hala të gjallë. Nuk kishte kurrfarë mënyre me marrë vesh se çka iu kishte ndodhë a ku ishin. Me ditë të tana u lutsha se baba ka mbërri me dalë me valën e refugjatëve dhe se kishte me m'telefonue. Por nuk kish pasë qenë e shkrueme me m'thirrë. Gjithçka më

Refugees from Kosovo after crossing into Macedonia along a railway track. Serb forces had forced them off the train and confiscated their passports and identity cards. Photo by Andrew Testa.

Refugjatë nga Kosova pasi kanë hyrë në Maqedoni nga shinat e hekurudhës. Forcat sërbe i kishin nxjerrë nga treni dhe ua kishin konfiskuar pasaportat dhe letërnjoftimet. Fotoja nga Andrew Testa.

loved ones were still alive. There was no way of finding out what had happened to them or where they were. For days I was praying that he did manage to flee with the flood of refugees and that he would phone me. But there was not to be such a phone call. All sorts of things came to my mind. I spent many sleepless nights feeling weak and unable to do anything until such feelings of impotence became unbearable. I decided to go to Albania and search for my father.

When I arrived in Albania I went straight to the refugee camps and what I saw there I will never forget. People had the look of fear and desperation in their eyes. They were hungry and exhausted. In Tirana I began working as an interpreter for the International War Crimes Tribunal for former Yugoslavia. We went to camps that were set up for refugees all over Albania and Macedonia. It was in those camps that I was to hear the stories of horror that Albanian men and women told. They were accounts of summary executions, beatings, rape and slaughter. Many people had been killed, almost all were civilians, including women and children.

I still had no news of my father. As the weeks went by, the Serbs were finally capitulating to NATO bombing. Three days after NATO troops went in I received a fax from my brother in London. It said, 'Father is alive'. Finally after three months of searching for him I knew that we would meet again. Two days later I was in Kosovo driving to my old house – father's home. I tried ringing the bell but there was no electricity. I knocked but there was no answer. Then pushing the broken door, I entered the dark house. Everywhere I stepped glass crunched under my feet. I remember carefully watching every step, fearful that I might step on a mine or booby-trap. Then the door swung open behind me and there stood my father. As we hugged I thanked God through tears of joy that he was alive and to my surprise he looked very well.

We went into the living room where father had lit a wood stove and was making tea. Over tea he told me of how he managed to stay alive by hiding in a small room in the cellar while the Serb army stayed in our house during the night because NATO had bombed their barracks. 'I was like a rat in my own house,' he told me. Sometimes he would change places, moving from one abandoned house to another. A Croat woman who used to work for him, occasionally brought him food because she had a special pass to move unhindered during the bombing. That was because she was married to a Serb and was considered by the Serbs to be 'one of them'.

shkonte ndërmend. Netë të tana i kalojsha pa gjumë tue u ndie i dobët dhe i pafuqishëm për me ba gja, derisa ndjenja e pafuqisë u ba e padurueshme. Vendosa me u nisë në Shqipni e me e lypë babën.

Kur mbërriva në Shqipni, shkova drejt në nji kamp të refugjatëve dhe ajo qi e pashë atje ka me mbetë në mue përgjithmonë. Njerëzit kishin dëshprimin e frikën në sy. Ishin të uritun, të rraskapitun e të pashpresë. Në Tiranë fillova me punue si përkthyes për tribunalin e Hagës për krimet e luftës në ish-Jugosllavi. Puna na çonte nëpër kampet në Shqipni e Maqedoni, që ishin ngritë për me i strehue të dëbuemit. Në këto kampe, burra e gra shqiptarë, na kallëzojshin për tmerret që i kishin pa e përjetue. Ishin këto kallëzime për vrasje, rrehje, dhunime e premje. Shum njerëz i kishin vra, gati të gjithë kishin qenë civilë, e shum kishin qenë gra e fëmijë.

Për babën hala s'disha gja. Javët shkojshin e shkijet ma n'fund kapitulluen para bombave të NATO-s. Tri ditë mbasi që kishte hy NATO-ja n'Kosovë m'erdh nji faks prej vëllaut ne Londër. Në te shkruente 'Baba asht gjallë'. Ma n'fund mbas tri muejsh kërkimi, e disha se kam me e pa prapë. Dy ditë ma vonë isha në Kosovë-tue shkue me kerr në shtëpinë teme në Prishtinë . Provova me i ra ziles, po s'kish rrymë. Trokita po kush s'bajke za. Atëhere e shtyva derën që ish e thyeme dhe hina mbrenda në shtëpinë e errët. Ngado që shkelsha, xhamat m'u thejshin nën kambë. E di se sa me kujdes i qitsha hapat tue u tutë se mos po shkeli në far mine. Atehere papritmas dikush e shtyu derën. Ish baba i jem. Tue e përqafë, nëpër lot të gëzimit e falenderova Allahun që babën e kisha gjallë, e që për habi teme, dukej shum mirë.

Shkuem në dhomë të ndejës ku baba e kishte dhezë nji koftor me dru dhe mbarojke çaj. Mbasi që ma qiti nji çaj, më tregoi se kish shpëtue tue u mshefë në nji dhomë të vogël në podrum, derisa ushtarët e shkijeve kishin qëndrue në shtëpinë tonë kur NATO-ja ia kishte bombardue kazermat. Nganjiherë ishte mshefë tue ndrrue vend e tue dalë prej nji shpije në tjetrën. 'Si me pasë qenë mi në shpi teme' më tha. Nji kroate, që punonte te ai si pastruese, nganjiherë i kishte pru bukë, se e kishte pasë nji leje speciale për me u sjellë e papengueme gjatë tanë kohës sa kishte zgjatë lufta. Këtë leje e kish, se kishte qenë e martueme me nji shka, dhe shkijet e bajshin hesap si të veten.

Mbasi që kishte rrnue ashtu nja dy muej e kishin zanë dy ushtarë shkije dhe e kishin detyrue me shkue në stacion te trenave pa e lejue me marrë gja, përveç teshave që i kish pasë në trup. Bukë nuk kishte hangër tri ditë. Kur ma në fund i rraskapitun kishte mbërri ne stacion të trenave, kishte pritë tanë ditën po trena s'kishte pasë. Tue mos mujtë me qëndrue ma, kishte vendosë me shkue te nji shok i moçëm në anën tjetër të qytetit. Kur kishte mbërri atje e kishte pa se ka ma pak shkije. Në shtëpinë e shokut t'vet kishte hangër, ishte pastrue e kishte pushue mirë. Dikur kishte mbërri me u vendosë në nji shtëpi aty afër. Aty kish ndejtë nji muej, deri sa ma në fund shkijet ishin tërhjekë dhe baba ishte kthye në shtëpinë tonë.

all the windows had shattered

After two months of living like that he was eventually caught by two Serb soldiers and made to go to the train station without anything but the clothes he had on. At the time he was caught he had eaten nothing for three days. Once at the train station, exhausted, he had waited the whole day but there were no trains. On the edge of breaking down he decided in desperation to go to the house of an old friend on the opposite side of the city. Not knowing what to expect he was thankful to find that there were less Serb soldiers in the area. He was able to eat and rest and eventually managed to find refuge in an abandoned house in the neighbourhood. It was another month before the Serbs finally retreated and he could return to our house.

The Right Answer
by Abdullah Elezi

If I am given five minutes to leave my house,
Then I ask if that is negotiable.
If I am told there is nothing to talk about,
Then I leave with my family.
I am disabled, as is my son,
Then I take the minimum.
If the first four trains are full,
Then we wait outside overnight for the next.
If the morning train is full,
Then we wait for a bus.
If, while we are waiting for the bus,
I am asked,
by a paramilitary or a Serb, 'Why are you leaving?'
Then I wonder why I am being asked that question.
If I watch and wait, I can see what happens
When my neighbours answer that question.
If five of my neighbours say they are leaving
Because they've been asked to leave
And they are shot,
Then I learn the right answer:
I left my home in Ferizaj because of the NATO bombing.

---

krejt xhamat ishin thye

Gjegjja e drejtë
Nga Abdullah Elezi

Ba me m'u dhanë pesë minuta me lëshue shpinë
Pyes në m'i japin do ma shum
Ba me më thanë s'kemi pse folim
Atëherë me familjen dal,
Ba me qenë sakat, qysh im djalë asht,
Marr sende krejt pak
Ba me qenë katër trenat e parë plot
Tanë natën pres jashtë,
Ba me qenë treni i mëngjesit plot,
Atëherë presim autobus
Ba, tue pritë autobus, me u pyetë
Prej nji paramilitari sërb "Pse po shkon?"
Atëherë habitem pse kështu pyetem
Ba me kqyrë e me ndejtë e shoh ç'bahet
Kur kojshitë e mi kësaj pyetjeje i gjegjen
Nëse pesë kojshi thonë se po shkojnë
se po u thuhet me shkue, e mandej vriten
Atëherë gjegjen e drejtë e mësoj:
"E lëshova shpinë në Ferizaj se NATO-ja po na bombardon".

'Even when we ran out of food, my family and I did not dare go out for fear of the Serb retaliation. Then, one day, many Serbian police armed with automatic guns came and drove us out of our home. They beat up the men and shouted abuse at everyone. They ordered us to leave in five minutes or they would kill us all. We picked up a few essential things in a hurry and set off for the city centre. Along the way there were Serbian police and paramilitaries shouting threats and pushing us towards the railway station. I saw Serbian police and soldiers setting fire to Albanians' houses.'

Elvira Obrinja, 13, from Prishtina.

KLA fighters from the Atlantic Brigade celebrate their arrival in Prishtina in June 1999 after leaving the front lines on the Pashtrik mountain near Albania, which saw some of the heaviest fighting between Serb forces and the KLA.
Photo by Andrew Testa.

'Kur filluen bombardimet e NATO-s shqiptarët u friguen se shkijet kanë me fillue m'u hakmarrë në ta. Edhe kur kemi mbetë pa ushqim, as unë e askush tjetër prej familjes time nuk guxojshim me dalë me ble bukë tue u frigue prej shkijeve. Atëhere, nji ditë, shumë policë shkije të armatosun erdhën në shtëpinë tonë e na dëbuen. Na thanë me dalë për pesë minuta se përndryshe kanë me na vra. Shpejt e shpejt i mbledhëm do sende ma të nevojshme dhe u nisëm në qendër të qytetit. Gjatë rrugës pamë shum policë e ushtarë shkije që na kërcnojshin e na shtyejshin kah stacioni i trenave. Kam pa ushtarë e policë shkije tue ia shti flakën shpijave të shqiptarëve."

Elvira Obrinja, 13, nga Prishtina

Luftëtarë të UÇK-së të Brigadës së Atlantikut festojnë mbërritjen në Prishtinë në qershor 1999, pasi kthehen nga vija e frontit në malin e Pashtrikut afër Shqipërisë, ku u zhvilluan disa nga luftimet më të rrepta midis forcave sërbe dhe UÇK-së.
Fotoja nga Andrew Testa.

'We had hardly started on our way when the police stopped us and began to beat up the men. One of them asked for money. When my father said that he did not have any, one of the policemen grabbed my sister by the arm and put the muzzle of his gun under her chin. "Dig out the money or she is dead", he shouted. We were so scared. My father gave him the last 100 German marks that he had in his pocket. My sister was in a terrible state. She has not been herself since then. She cries often and loses control. She has nightmares and wakes up in the middle of the night.'

Fehmi Emërllahu, 17, from Ramjan, commune of Vitia.

Serb paramilitaries on a convoy of Serb units leaving Kosovo, north of Podujeva, in June 1999.
Photo by Andrew Testa.

'Sa ishim nisë rrugës kur na ndalën policia e shkijeve dhe filluen me i rrehë burrat. Njeni prej tyne na lypi pare. Kur baba i tha se s'kishim, njeni prej policëve e ngrehi motrën time për dore dhe ia shtini tytën e automatikut nën mjekër. 'Qiti paret ja e vrava' bërtiti. U friguem shum. Baba ia dha 100 markat e mbrama që i kish në xhep. Motra u trishtue. Prej atëhere nuk asht ma ajo që ka qenë. Shpesh qan dhe e humb vetëdijen. Sheh andrra të kqija dhe çohet natën e trishtueme.'

Fehmi Emërllahu, 17, nga Ramjani, komuna e Vitisë.

Paraushtarakë sërbë në një autokolonë të njësive sërbe largohen nga Kosova drejt veriut, Podujevës, në qershor 1999.
Fotoja nga Andrew Testa.

'One day, very early in the morning, we saw many police and paramilitary groups coming into the village to search for hidden KLA fighters. They killed one refugee by hitting him with the butt of the gun in the back of the head. They rounded up many young Albanians and beat them up. Then they took two young men to the edge of the forest and shot them. In the evening they stood four young men with their backs against the wall of a house and shot them at close range. Late that evening, they released the rest of the group. That is the kind of war they were fighting in Kosovo.'

Sabit Leci, 55, from the village of Barileva, commune of Prishtina.

Albanian children look at bullet holes left after a Serb attack on an Albanian café in Prishtina in which one man died and four were injured. Photo by Andrew Testa.

'Nji ditë, shum herët në mëngjes, pamë shum policë e paramilitarë që kishin ardhë me i kërkue ushtarët e mshefun të UÇK-së. Nji të ardhun e mbytën tue i ra me kondak të pushkës mbas kreje. I rrethuen shum te ri shqiptarë dhe filluen me i rrehë. Mandej dy prej tyne i çuen në skaj të pyllit dhe i pushkatuen. Në mbramje katër prej tyne i shtinën me u rreshtue ngat murit dhe i vranë, tue i gjuejtë prej së ngati. Ma vonë atë natë, i lëshuen të tjerët. Kësi lufte banë shkijet në Kosovë.'

Sabit Leci, 55, nga fshati Barilevë, komuna e Prishtinës.

Fëmijë shqiptarë këqyrin vrimat e plumbave pas një sulmi sërb në një kafene të Prishtinës, gjatë të cilit një njeri u vra e disa mbetën të plagosur. Fotoja nga Andrew Testa.

'The Serbs began to shell our village immediately after the NATO bombing began. The shelling continued day and night. Then there was a lull and the Serbs came into the village. They shot the animals, beat up the men and rounded up everyone in the village square. Then they told us to leave.'

Fatime Salihu, 14, from Përlepnicë, commune of Gjilan.

'Shkijet filluen me na e granatue katundin menjiherë mbasi që filluen bombardimet e NATO-s. Na granatojshin ditë e natë. Për nji kohë pushuen, po mandej na hynë në katund. I vranë gjanë, filluen me i rrehë mashkujt dhe të tanëve na nxorën në shesh t'katundit. Atëherë na përzunë.'

Fatime Salihu, 14, prej Përlepnice, komuna e Gjilanit.

Women grieve at the funeral of three Egyptian Albanians murdered in a revenge attack caused by a land dispute. Eighty-year-old Hava Brahimi and her two grandsons, 15-year-old Muharem and 16-year-old Fidan, were shot dead as they returned from the local shops. Photo by Andrew Testa.

Gratë vajtojnë në varrimin e tre hashkalijve të vrarë gjatë një sulmi për hakmarrje për shkak të grindjeve për punë toke. Tetëdhjetëvjeçarja Hava Brahimi dhe dy nipat, Muharremi 15 vjeçar, dhe Fidani 16 vjeçar, të dy u vranë tek ktheheshin nga pazari. Fotoja nga Andrew Testa.

as the plane climbed the mood changed

tek aeroplani ngrihej çeleshin fytyrat

As I entered the camp on the outskirts of Skopje, I was struck by the smells, sights and sounds of thousands of people crammed into one place. I had only managed to grab a couple of hours sleep, but my senses were working overtime. I had been warned to prepare myself for my first experience of a refugee camp. But nothing can really prepare you for what you see and smell, the range of human expressions you witness, and the noises of desperation and fear.

What struck me most was the palpable air of tension – of the people living in the camp, of those patrolling the gates, and of those, like myself, who had gone there to help. And for everyone, there was the tension that comes from hearing the guns of battle in the distance and the frequent flights of helicopter gunships overhead.

A processing area had been hastily constructed, and those who had been selected for a particular flight were checked by a doctor before climbing aboard a bus that would take them to Skopje airport. My job was to make sure that everyone on the buses knew what they were doing and where they were going, and to provide them with as much information as possible about their arrival in the United Kingdom.

Sa shkela në kampin në të dalë të Shkupit, befas më mbyti një erë, më gjëmuan veshët nga zhurmët, më panë sytë një valë mijëra njerëzish të ngushtuar në një copë vend. Atë natë mezi kisha mundur t'i rrëmbeja nja dy orë gjumë, por shqisat nuk donin t'ia dinin nga lodhja. Më kishin thënë që të përgatitesha për ndeshjen e parë me një kamp refugjatësh. Por asgjë nuk të përgatit dot për ato që sheh e nuhat, për tërë atë gjëmë njerëzore që has kudo, për atë zhurmëri dëshpërimi e frike.

Ajo që më bëri përshtypje qe një ndjenjë gati e prekshme tendosjeje – tension ndër njerëzit që banonin në kamp; ndër njerëzit që patrullonin hyrjet; si dhe ndër ata që, si unë, kishin ardhur për të ndihmuar. Dhe për të gjithë, ndjehej ankthi që shkaktohet kur dëgjon së largu gjëmimin e topave në betejë dhe sheh fluturimet e shpeshta të helikopterëve ushtarakë mbi kokë.

Me nxitim ishte ngritur një zonë e përpunimit, dhe ata që ishin caktuar për të udhëtuar me aeroplanin e ditës, përpara vizitoheshin nga një mjek, pastaj hipnin në autobusin që i çonte në aeroportin e Shkupit. Unë e kisha për detyrë t'u tregoja të gjithëve sa ishin nëpër autobusa se ku po shkonin, dhe t'u jepja sa më shumë imformacion që të mundesha për kushtet e jetesës pas mbërritjes në Mbretërinë e Bashkuar.

Hipja e të gjithë njerëzve të caktuar nëpër autobusa, shkonte ngadalë. Dikush nga pjesëtarët e familjes nuk kishte mbërritur me kohë, kështu që do të dilte ndonjë për t'i kërkuar. Ndodhte që një familje e tërë nuk vinte

A woman sits alone on the edge of the field at Bllace camp, cradling her baby, apparently oblivious to the rain that is pouring down. Photo by Howard Davies.

Një grua në mezhdën e një are në kampin e Bllacës, me fëmijën në prehër, nuk don të dijë për shiun. Fotoja nga Howard Davies.

Chapter Two

Getting everyone onto the buses was a slow process. Some family members had not turned up at the right time, so people had to go and look for them. Sometimes a family would not show at all – perhaps because they had already left for another country or decided not to go after all. Their places were quickly taken by others on the long waiting list.

One family arrived with two young boys who weren't on the list. Yusuf, my interpreter, talked to them. The main family group consisted of a mother and father, the mother's parents, and their three young children. The two boys were their cousins. They had all lived in the same large house since birth. To them, they were part of the family. But their definition of a family was not the same as that of the UNHCR.

There was not enough space on the plane for the two boys. So the family had to make a decision. Leave them behind and hope that they would be on the next flight with their mother, or keep everyone together and stay in the camp. The parents whispered to each other and made their choice. The two boys were left behind. One of their cousins took off her jacket and, with tears flowing from her eyes, threw it through the bus window to them.

After three hours, the buses were full. As we drove out of the camp, I heard children singing. They were attending one of the informal schools that had been established by the refugees.

On the way to the airport, we talked to some of the refugees, asking them whether they had relatives in the UK. Many of them did and I decided to make use of my mobile phone. It was a strange sort of pleasure to be able to say to someone in the UK, 'Hello, my name is Matthew and I'm on a bus in Macedonia. I've got someone here to talk to you,' before handing over the phone to a sister or brother they must have longed to hear from.

Soon everyone was on board the aeroplane. As I was about to get on myself, Yusuf appeared in the doorway.

'We have a diabetic girl on board,' he shouted down to me. 'And she urgently needs her insulin shot.'

'Where is it?' I asked.

'In her bag.' he replied.

The bag was already on board, but in the hold. It was her first time on a plane and she thought she would be able to get to her bag during the flight. One by one, the bags came out of the hold until she finally pointed out her small rucksack. Now we could leave.

As the plane climbed, the mood changed from one of tension and uncertainty to one of relief. Some passengers fell asleep, obviously exhausted

Kapitulli i dytë

fare - ndoshta ngaqë kishte ikur nga kampi në ndonjë vend tjetër, ose kishte vendosur të mos ikte kund. Vendet e tyre ziheshin shpejt e shpejt nga të tjerët që pritnin në listën e gjatë.

Erdhi një familje me dy djem që nuk ishin në listë. Jusufi, përkthyesi im, foli me ta. Grupi kryesor i familjes përbëhej nga nëna e babai, nga prindërit e nënës, dhe tre fëmijë të vegjël. Dy djemtë ishin kushërinj të tyre. Që kur kishin lerë, këta kishin banuar të gjithë së bashku në një shtëpi. Për ta, dy djemtë ishin të familjes. E keqja është se UNHCR-ja ka tjetër përkufizim për familjen.

Në aeroplan s'kishte vend për dy djemtë. Kështu që familjes i duhej të merrte një vendim. T'i linte dy djemtë me shpresë se do të vinin me aeroplanin tjetër bashkë me të ëmën, ose të mbeteshin të gjithë sa ishin në kamp. Prindërit diçka pëshpëritnin midis tyre dhe e ndanë mendjen. Dy djemtë mbetën jashtë. Një nga kushërirat e tyre hoqi setrën e vet e ua hodhi nga dritarja e autobusit me lot në sy.

Pas tri orësh autobusi u mbush. Tek po dilnim nga kampi dëgjova një këngë fëmijësh. Ishin në orën e mësimit të organizuar nga vetë refugjatët.

Rrugës për në aeroport folëm me disa nga refugjatët dhe i pyetëm a kishin të afërm në Mbretërinë e Bashkuar. Doli që shumë prej tyre kishin. Atëherë vendosa ta përdorja telefonin mobil. Në ato çaste ndjeja një kënaqësi të çuditshme që po i thoja dikujt në Britani: "Alo, më quajnë Mathju, jam në një autobus në Maqedoni dhe këtu kam dikë që do të flasë me ju," para se t'ia kaloja telefonin një motre që kishte mall t'ia dëgjonte zërin vëllaut. Kur mbërritëm në aeroportin e Shkupit, mora në telefon një nga kolegët e mi në Britani për t'i thënë se sa vetë do të ishin në aeroplan, dhe sa personel shëndetësor do të na nevojitej. Pas pak, të gjithë kishin hipur në aeroplan. Kur po matesha të hipja edhe unë, Jusufi doli te dera.

"Kemi një vajzë me diabet në aeroplan," më thirri që në krye të shkallëve. "Dhe i duhet urgjent insulina."

"Ku e ka insulinën?" e pyeta.

"Në çantë".

Çanta ishte në aeroplan, por në mbajtësen e bagazheve. Ishte hera e parë që vajza hipte në aeroplan dhe kishte kujtuar se do ta merrte çantën me vete gjatë udhëtimit. Një nga një nisën të nxirren bagazhet deri sa në fund ajo bëri me dorë kah një çantë e vogël shpine. Tani mund të niseshim.

Tek aeroplani u nis përpjetë, fytyrat e njerëzve filluan të çliroheshin nga ngrirja e tensionit dhe pasigurisë. Disa udhëtarë i mori gjumi, ngase i kishte rraskapitur gjithë kjo tollovi. Pastaj mora përsipër një rol të ri, atë të shoqëruesit të aeroplanit, dhe nisa t'u jap fëmijëve ëmbëlsira duke u përpjekur t'u shpjegoj me shenja se si të vepronin gjatë ndryshimit të trysnisë së ajrit.

Nja dy djem kishin qejf të flitnin për futboll. U thashë se së shpejti do të kishin rast ta shikonin në televizor finalen e kupës së Anglisë. Një grup vajzash më pyetën a do të kishin mundësi të shkonin në shkollë tani. Prindërit donin të dinin se ku do të vendoseshin me banim dhe a do të kishin mundësi të punonin. Njerëzit flitnin plot gjallëri me njëri-tjetrin. Më në fund

as the plane climbed the mood changed

by their experiences. I took on a new role as cabin crew, giving out sweets to the children and attempting to explain, through sign language, how best to deal with changes in air pressure.

A couple of young boys were eager to talk about football. I told them that they would soon be able to watch the FA Cup final on TV. A group of young girls asked me if they would be allowed to go to school now. Parents were anxious to know where they were going to be living and whether they would be able to work. People began to chat animatedly to each other, daring to believe that something positive was happening to them.

When we arrived at East Midlands airport, there was an audible gasp as we saw the rows of photographers and journalists. Inside the terminal building, there seemed to be hundreds of people waiting to help – giving out food and drinks, handing toys to the children, helping parents to fill out their immigration forms.

The young woman whose brother I had phoned from the bus had called him again from inside the terminal, only to find out that he was outside somewhere, unable to get in. Nervously, she and her two sisters and father and mother waited for him to appear. They hadn't seen him since 1991, when he had been forced to leave. And suddenly, there he was. For a moment I watched the tearful family reunion. Then I turned away to leave them their privacy and tiredness finally overcame me.

In just 48 hours, I had witnessed events that will remain with me for years to come. It was a real rollercoaster of emotions. The joy of seeing a family reunited, and witnessing the relief of the passengers on the plane, was tempered by guilt and concern for those we left behind in the camps. That night, it was their faces I saw, and the sound of the children singing that I heard, as I finally fell asleep.

tek aeroplani ngrihej çeleshin fytyrat

guxonin të besonin se diçka kishte nisë për mbarë.

Kur zbritëm në aeroportin e Ist Midlandit, u dëgjua një ahmë habie tek para syve na dolën një tufë me gazetarë e fotoreporterë. Në ndërtesën e aeroportit u panë qindra vetë që pritnin për të ndihmuar - dikush sillte ushqime e diçka për të pirë, dikush u jepte lodra fëmijëve, dikush u ndihmonte prindërve për t'i mbushur formularët e imigracionit.

Gruaja e re - vëllaun e të cilës e kisha marrë në telefon nga autobusi, e kishte marrë prapë vëllain në telefon nga salla e aeroportit, veç që ai s'ishte në shtëpi, sepse kishte dalë në aeroport e s'po hynte dot në sallë. E ndërkohë ajo me dy motrat e veta, me të atin e të ëmën, prisnin me nervozizëm që ai të shfaqej diku.

S'e kishin parë qysh më 1991, kur ai qe shtrënguar të ikte. Dhe, befas, ja ku doli. Për një çast u ndala dhe e shikova atë bashkim familjar. Pastaj u ktheva mënjanë që t'i lija të çmalleshin dhe përnjëherë lodhja më mposhti.

Për 48 orë kisha qenë dëshmitar i disa ngjarjeve që s'do t'i harroj për vite e vite me radhë. Isha si një kazan me vlime emocionesh. Gëzimin, tek shihja bashkimin e një familjeje, dhe kisha parë me sytë e mi shprehjet e lehtësimit të udhëtarëve në aeroplan, ma prishte ndjenja e fajit për ata që i lashë në kampe. Atë natë, ishin fytyrat e tyre që i shihja dhe zëri i fëmijëve duke kënduar që dëgjoja, deri sa më në fund më zuri gjumi.

My Name Came Up
by Fatmire Koçmezi

In the camp in Macedonia I saved the cardboard
Which covered the food, to write my diary.
One day my name came up.
I was departing for the UK.
I boarded the plane and didn't know where I was going,
Except that I was going to London.

I didn't choose to come here.
The UK were taking people who were ill.
My mother was ill, so our names came up.

I left my war-torn home and arrived at the airport.
I thought we would be taken to another camp,
another tent.
We were greeted with placards of welcome,
We were greeted with flowers.

Here they look after my mother so well.
In Kosovo, even if we paid for it,
We weren't allowed to go to the hospital,
To seek advice because we are Kosovan Albanians.

Here I write my diary on paper.

Within two weeks, more than 120,000 refugees had
arrived from Kosovo in the Macedonian border
region of Bllace. Many were forced to leave their
homes within minutes, often with little more than
the clothes they wore.
Photo by UNHCR/R.LeMoyne.

Brenda dy javësh në Bllacë në të hyrë të kufirit me
Maqedoninë kishin mbërritur 120,000 refugjatë nga
Kosova. Shumë syresh qenë shtrënguar të dilnin prej
shtëpie pa iu lënë kohë të merrnin me vete gjë tjetër
veç rrobave të trupit.
Fotoja nga UNHCR/R.LeMoyne.

Më doli emni
Nga Fatmire Koçmezi

Në kampin në Maqedoni i ruaja kutitë
me të cilat mbështillej ushqimi për të shkruar
ditarin tim.
Një ditë më doli emri im
Po nisesha për në Angli
Hypa në aeroplan dhe nuk e dija se ku po shkoja,
E dija se do të vija në Londër.

Unë nuk zgjodha të vija këtu.
Anglia po i merrte vetëm të sëmurët.
Nëna ime ishte e sëmurë prandaj na dolën emrat.

E lashë atdheun në luftë dhe arrita në aeroport.
Mendova se do të na dërgojnë në një kamp tjetër,
tendë tjetër.
Në pritën me pllakata mirëseardhëse,
Na pritën me lule.

Këtu për nënën time kujdesen shumë mirë.
Në Kosovë edhe sikur të paguanim,
Nuk do të na lejonin që në spital të kërkonim ndihmë,
Vetëm pse jemi shqiptarë të Kosovës.

Këtu ditarin e shkruaj në letër.

Bllace camp, where 55,000 refugees were kept in
no-man's land between the Federal Republic of
Yugoslavia and Macedonia. Most had come from
Prishtina and surrounding areas. Little aid was
reaching the refugees, who were forced to sleep out
in the open for up to eight nights. Bread and water
were distributed by a local NGO from the back of a
truck. In front of them stood a barrier of highly
pressurised Macedonian policemen.
Photo by Howard Davies.

Kampi i Bllacës, ku 55 000 refugjatë ngecën në një zonë
neutrale midis Maqedonisë dhe Republikës Federale të
Jugosllavisë. Shumica ishin të ardhur nga Prishtina dhe
zonat përreth. Ndihmat për refugjatët qenë fort të pakta.
Për tetë netë me radhë njerëzit flinin jashtë. Buka dhe
uji shpërndaheshin nga një shoqatë joqeveritare në
karrocerinë e një kamioni. Njerëzit përpiqeshin me
dëshpërim të iknin nga ky kamp. Përballë tyre ngrihej
një mur i ashpër policësh maqedonas.
Fotoja nga Howard Davies.

'As soon as the Serbian offensive began, we were forced to hide in the hills, in the deserted villages and wherever we felt safe. We travelled on foot most of the time. We were continuously on the move and we met many refugees. Some of them were more fortunate – they had horse carts or tractors. This running away from the Serb forces continued for nearly one month.'

Emin Shala, from the village of Mirosalë, commune of Ferizaj.

'Sa filloi ofensiva e shkijeve, u detyruem me u mshefë nëpër pyje, katunde të shkreta dhe kudo tjetër ku u ndijshim të sigurtë. Shumicën e kohës ecshim në kambë. Tanë kohën ishim në lëvizje dhe takojshim shum të ikun të tjerë. Disa ishin ma fatlum se na - kishin kerre me kuaj a traktora. Kështu vazhduem me ikë prej shkijeve për gati nji muej.'

Emin Shala, nga fshati Mirosalë, komuna e Ferizajit.

Kosovar refugees at a camp in Albania.
Photo by Carlos Reyes-Manzo.

Refugjatë kosovarë në nji kamp në Shqipni.
Fotoja nga Carlos Reyes-Manzo.

'Eventually we reached the Macedonian border at a placed called
Bllace. I felt miserable and cold. The weather was wretched. Flurries
of snow came down from the mountains. We were forced to stay
out, fully exposed. We were encircled. The Serbian paramilitary was
guarding us on one side, while the Macedonian police made sure
that we remained where we were.'

Fatmire Koçmezi, 29, from Prishtina.

'Ma në fund treni u nis, e ne hala nuk e dishim se ku janë tue na çue.
Dikur mbërrijtëm në kufi me Maqedoninë, në nji vend të quejtun
Bllacë. Isha e dëshprueme dhe tue mërrdhi. Koha ishte shum e keqe.
Bora binte pa da, thue se binte prej malit. Neve na kishin nxjerrë jashtë
e na kishin lanë me qëndrue aty. Ishim të rrethuem. Në njenën anë na
ruejshin paramilitarët sërb, e në anën tjetër ishin policët maqedonë, që
na detyrojshin me mbetë aty ku ishim.'

Fatmire Koçmezi, 29, nga Prishtina.

Refugee children play in a river at
Brazda refugee camp, Macedonia.
Photo by Andrew Testa.

Fëmijë refugjatë luajnë në një lumë te kampi i
refugjatëve në Brazdë, Maqedoni.
Fotoja nga Andrew Testa.

what would England be like?

si kishte me u dukë Anglia?

Airports are often the venues for emotional and historic events, but I don't think any of us at the relatively modest airport outside Leeds last April expected to be caught up in such a storm.

In one way it was all like a child's dream: to be permitted to go through all the doors marked 'Authorised Personnel Only', to hang around the fire station and the fire engines in a fluorescent jacket, to actually stand on the tarmac as the plane flew in. On the other hand, the situation demanded a very high level of focussed and careful management as it became apparent that everyone assembled at the airport to receive the Kosovans expected us to take the lead responsibility for the day's operations.

I arrived at the airport in a Leeds City Council minibus, with our bilingual staff, in the morning. The flight was due some time in the afternoon. When we reached the terminal building, a security guard whisked us through to the departure lounge to the second floor which had been converted into a large reception area. 'They want to know what the plan is,' said a colleague and introduced me to heads of various health authorities, social services and other VIPs.

Aeroportet shpesh janë vende ngjarjesh emocionale e historike, por më duket se asnjë prej nesh në aeroportin goxha modest jashtë Lidsit nuk kishte pritur të gjindet në asi stuhie ndenjash prillin e shkuar.

Në një mënyre, kjo që po më ndodhte ishte si një ëndërr fëminore: na lejonin të kalonim nëpër dyer me mbishkrimin "Vetëm për personelin e autorizuar", mund të rrinim te zjarrfikësit dhe makinat zjarrfikëse me xhaketat fluoreshente, dhe të qëndronim në pistë kur ulej aeroplani. Por, nga ana tjetër, gjendja kërkonte të ishim të përqendruar plotësisht, të organizonim me kujdes gjithçka, sepse të gjithë sa kishin dalë në aeroport për t'i pritur kosovarët, kërkonin nga ne që të mbanim krejt përgjegjësinë për veprimet e asaj dite.

Në aeroport mbërriva në mëngjes me një mikrobus të Këshillit të Qytetit të Lidsit bashkë me personelin dygjuhësh. Aeroplani mbërrinte dikur pasdite. Mbasi që arritëm në ndërtesën e terminaleve të aeroportit, një roje e sigurimit furishëm na çoj drejt e në sallën e nisjeve në katin e dytë, që ishte bërë gati për pritjen e njerëzve. "Kërkojnë të dinë se çfarë është plani", tha një koleg dhe më njoftoi me kryetarët e seksioneve të ndryshme të shëndetësisë, të shërbimeve shoqërore dhe me personalitete të tjera.

Salloni ishte plot me njerëz. M'u duk se për çdo kosovar i binte të kishte nga pesë vetë prej Ambulancës së Shën Gjonit, grave që bënin çajin gati,

Kosovar refugees at a camp in Tirana, Albania.
Photo by Carlos Reyes-Manzo.

Refugjatë kosovarë në nji kamp në Tiranë
Fotoja nga Carlos Reyes-Manzo.

Chapter Three

The lounge was full of people. It looked like there would be about five St John's Ambulance people, ladies making tea, social workers and top health consultants to every Kosovan. Our plan was to form teams of staff who would carry out a quick assessment of what each family needed as they came in, and then allocate them to one of the two reception centres that had been hurriedly acquired – Park Lees and Rose Court in Leeds.

We had no flight list at this stage, so it was only when the Kosovans actually arrived that we were able to allocate them to accommodation. Someone suggested that Park Lees might be better for young children because it had fewer stairs. This quickly became a focus for our allocation policy and the staff at a crowded Park Lees centre who had to manage the 50 odd children we sent there were to curse us many times over the next six months. Meanwhile, Rose Court with its large garden and big halls housed mostly adult households. We live and learn.

I was standing on the tarmac when the plane touched down and taxied to a stop in a carefully chosen spot in front of the fire station, now converted into a press menagerie. We could see the children looking out of the windows. They would have seen the fields full of sheep and the Yorkshire drystone walls that surround the airport. Is this what they thought England would be like? We went on board. People were muddy from the camps in Macedonia and for many, their only luggage was held in carefully preserved plastic shopping bags. We found our colleagues on the plane who had kept us in touch with what had been going on. Paramedics came on board too and then the machinery of disembarkation geared into action. Ranks of cameras flashed as Gentiana, a bewildered little girl, waved before cautiously descending the steps to her new home.

Kapitulli i tretë

punonjësve socialë, dhe të këshilltarëve të lartë të shëndetësisë. Plani jonë ishte që të formonim ekipe që do të bënin një vlerësim të shpejtë të nevojave për secilën familje me të mbërri, dhe pastaj t'i caktonim në njërën prej dy qendrave të pritjes që ishin siguruar me nguti për këtë rast – Park Lis (Park Lees) dhe Roz Kort (Rose Court) në Lids.

Deri në atë çast nuk e kishim listën e udhëtarëve, kështu që ishim në gjendje të merreshim me sistemimin vetëm pas mbërritjes së kosovarëve. Dikush shprehi mendimin se Park Lis ishte më i përshtatshëm për të vegjlit, sepse kishte më pak shkallë. Prej këtu filloi plani ynë për sistemimin, dhe personeli i caktuar të punonte në qendrën e Park Lisit, që u ngarkua që merrej me nja pesëdhjetë e disa fëmijë që i dërguam atje, besoj se na ka mallkuar shpesh gjatë gjashtë muajve të ardhshëm. Ndërkaq, Roz Korti me kopshtin e madh dhe sallat e bollshme u nda për familjarët. Sa të jetojmë, mësojmë.

Isha në pistë kur aeroplani zbriti dhe manovroi me kujdes derisa doli përballë pikës së zjarrfikësit, që tani ishte bërë si sallë e shtypit. Pamë fytyrat e fëmijëve që vështronin nga dritaret. Do t'i kishin parë me siguri fushat e mbushura me dhen dhe muret me gurë të thatë të Jorkshirit që e rrethojnë aeroportin. A thua kështu e kishin paramenduar Anglinë? Hymë në aeroplan. Pashë njerëz tërë lloç nga kampet e Maqedonisë. Shumë prej tyre kishin bagazh vetëm ndonjë qese plastike ku kishin vënë gjërat që i ruanin me kujdes. U takuam me kolegët tanë që na kishin informuar për gjithë rrjedhën e ngjarjeve. Hynë në aeroplan ndihmësmjekët dhe pastaj u vu në lëvizje makineria e zbarkimit. Radhë-radhë shkrepën blicat e aparateve fotografike teksa Gentiana, një vajzë e vogël e hutuar,ua bëri me dorë dhe kishte kujdes derisa zbriste shkallët drejt shtëpisë së saj të re.

Over Europe
by Fatmire Koçmezi

Evening. We are in flight,
Plucking at the world of the clouds.
Beneath us a white kingdom,
Azure triumph.
We speed on and pay no heed
To borders, armies, herds.

As if on the century's crest, we push aside
The mildew of history, the wars.
A lady shakes the sighs from her handkerchief
Somewhere over Mauthausen.

Evening. We are in flight.
Beneath us pensive
Europe drowses over serious matters.
Sleep on, wise lady,
Never bothered about your whims
Which were not mine.

A man waits to see if his name has come up on the
flight list for evacuation, from a camp in Macedonia
to the UK.
Photo by Howard Davies.

Nji burrë pret me pa se a i ka dalë emni në listën e
fluturimeve për evakuime prej kampit në Maqedoni
për në Britani.
Fotoja nga Howard Davies.

Mbi Europë
Nga Fatmire Koçmezi

Mbramje. Jemi n'aeroplan, tue u ndukë leshnat reve.
Nën ne Mbretni e bardhë
ngadhnjim i rimtë. Shpejtojmë e s'venerojmë
kufij, ushtri, vandakë.

Si në kreshtë shekulli e shtyejmë
Kalbjen e historisë, luftnat.
Nji zojë gjamat i shkund prej faculete
Dikund mbi Mauthausen.

Mbramje. Jemi n'aeroplan. nën ne e mendueme
Europa dremit mbi çashtje të randësishme.
Flej o zojë kurrnjiherë e trazueme
Për teket e tua që kurrë s'i kam pasë.

An elderly man four hours into a 12-hour wait on a bus to take him away from Bllace camp. The bus eventually left for the refugee camp at Brazda.
Photo by Howard Davies.

Një plak ka katër orë që pret autobusin, që vjen një herë në 12 orë, për ta marrë nga kampi i Bllacës. Por autobusi u nis kah kampi i refugjatëve në Brazdë.
Fotoja nga Howard Davies.

'We were in the camp for two months and felt safe there. We had the basics to live by, but we were worried about granny's health. She was growing weaker. Then we were taken to Leeds and on to Ripon. I am happy here. I go to the same school as English children. The teachers love me and treat me very well. The reception centre is good, too.'

Elvira Obrinja, 13, from Prishtina.

'Ishim në kamp dy muej dhe ndiheshim t'sigurtë. I kishim gjanat ma të nevojshme për jetesë, po ishim shum të brengosun për shëndetin e gjyshës. Ajo shkojke tue u ligështue. Atëhere na çuen në Lids e mandej në Ripon. Këtu jam shum e lumtun. Shkoj në nji shkollë me fëmijët anglezë. Mësuesit më dojnë dhe sillen shum mirë me mue. Edhe qendra e pritjes asht shum e mirë.'

Elvira Obrinja, 13, nga Prishtina.

Kosovo Albanian refugees arriving at Manchester airport on an evacuation flight from refugee camps in Macedonia.
Photo by Howard Davies.

Refugjatë shqiptarë të Kosovës mbërrijnë në Aeroportin e Mançesterit me një aeroplan për ata që do të nxirren nga kampet e Maqedonisë.
Fotoja nga Howard Davies.

lakes of sadness... screams of laughter

Liqej të pikëllimit... bërtima të qeshurash

When the Kosovars arrived in England and Scotland as part of the Humanitarian Evacuation programme, they were first housed in reception centres. These were managed by voluntary sector charities and local authorities. When the programme began, it was estimated that some 20,000 Kosovars would be evacuated to the United Kingdom. Evacuees were housed in reception centres as a temporary measure until more permanent housing could be found. It was anticipated that residents would stay at reception centres for between three and six months, though in the event some stayed longer.

Reception centres came in many shapes, sizes and guises, from former old people's homes, to converted schools and big houses. New life was breathed into many of these disused buildings and you could see and feel the changes as the staff and Kosovars turned them into homes once more. The stagnant air was soon replaced by the smell of new paint, bathed babies and freshly cooked food.

Each reception centre took on its own identity, representing a microcosm of Kosovo, with rural and urban communities living together and adapting to a new way of life. For some, the change came easily, particularly for those who

Kosovarët që erdhën në Angli dhe Skoci me Programin e Evakuimit Humanitar, së pari u vendosën me banim në qendrat e pritjes, të ngritura me shoqatat humanitare të sektorit vullnetar dhe nga pushteti vendor. Kur filloi programi, pritej që në Britani të Madhe të vinin rreth 20 mijë kosovarë. Të ardhurit u strehuan nëpër qendrat e pritjes, si masë paraprake, deri sa të gjendej strehim më afatgjatë. Atëherë mendohej se këto qendra do të përdoreshin prej tre deri në gjashtë muaj, e shumta, ndonëse më vonë doli se disa ndejtën edhe më gjatë.

Qendrat e pritjes qenë të llojllojshme, si për nga madhësia ashtu edhe për nga qëllimi – disa kishin qenë dikur shtëpi pleqsh, shkolla, ose ndërtesa të mëdha. Këto ndërtesa të lëna jashtë përdorimit u gjallëruan kur personeli dhe kosovarët i kthyen në shtëpi. Era e rëndë e mykut u zëvendësua shpejt prej erës së bojës së freskët, prej aromave të foshnjave që dilnin nga banja, prej erës së ushqimit të porsagatuar.

Secila qendër pritjeje mori një pamje krejt vetjake, ku shihej një mikrobotë kosovare që bashkonte në vetvete fshatarin dhe qytetarin në një mënyrë të re jetese. Disa, sidomos ata që dinin pak anglisht, e përballuan këtë ndryshim të jetës me lehtësi. Por kishte edhe nga ata që nuk e kishin të lehtë t'iu përshtateshin zakoneve të reja. Të moshuarit e paaftë, në veçanti, me sytë plot lotë pikëllimi, i vajtonin të vdekurit, dhe s'dinin në do ta shihin përsëri Kosovën e

Kosovar Albanian refugees at a reception centre after arriving in the UK on an IOM evacuation flight bringing them from the refugee camps in Macedonia.
Photo by Howard Davies.

Refugjatë shqiptarë të Kosovës në një qendër pritjeje pas mbërritjes në Mbretërinë e Bashkuar me aeroplan për të evakuuarit të organizuar nga IOM që i ka sjellë nga Maqedonia.
Fotoja nga Howard Davies.

had a little knowledge of English. For others, fitting into a new culture was never going to be possible. In particular, the very frail elderly would sit with great lakes of sadness in their eyes, worrying about loved ones left at home, grieving for those they had lost, and wondering if they would see their beloved Kosovo ever again. The old ladies sat knitting as if their lives depended on it, and the old men took their responsibilities as heads of families very seriously, listening and watching every snippet of news from Kosovo.

The children found a new freedom. The shackles and constraints of living in a war-torn country, and the nightmare of the refugee camps were behind them, so they could learn to be children again. Whoops and screams of laughter rang out. Children whizzed past you from every angle and every day seemed to be like rush hour at Piccadilly until those who were old enough went to school.

But reception centres were full of contrasts. The daytime tears of laughter turned into night-time sobs as sleep brought back the horrors of war.

The staff at the reception centres became more than just administrators; they were friends, confidants and advisers. They watched, heard and felt the pain, and they played a vital role in the process of recuperation, encouraging people to step out of the front door and taste the culture of the British people. Many of the staff came from Kosovo and for some there was the added poignancy of meeting, for the first time in years, someone from their own village or town who had news of their family. The bilingual staff became buffers between the residents and the staff, whose knowledge of Albanian was embarrassingly limited. Staff worked tirelessly to ensure that the residents received their entitlements, helped people to find work or appropriate college courses, and helped them settle into new homes.

Reception centres were often venues for parties of all kinds, planned or just spontaneous. The Kosovars certainly know how to party! The biggest parties were those held on Independence Day. Music, dancing, Albanian flags flying, clowns, drumming bands and everyone in their best clothes, all celebrating their freedom. The event was made all the more important because the peace accord had just been signed, so many people were returning to their beloved Kosovo.

At reception centres, one saw how the British people, on a national and local level, took the plight of the Kosovars to their hearts. The refugees received such a warm welcome and many offers of help, gifts and days out. One reception centre manager said that in the early

dashur. Plakat ulur punonin leshin me kërrabëza sikur jeta s'bëhej dot pa të; ndërsa pleqtë i merrnin me seriozitet të madh detyrat dhe përgjegjësitë e kryetarit të familjes, dhe dëgjonin çdo thërrmizë lajmi që vinte nga Kosova.

Për fëmijët lirija e këtushme ishte diçka e re. Tani ishin të çliruar nga pengesat e jetës në një vend në luftë. E kishin lënë pas lemerinë dhe mjerimin e kampeve të refugjatëve, dhe mësonin të ishin prapë fëmijë. Të qeshurat e tyre kumbonin kudo. Fëmijët silleshin ngado dhe çdo ditë në këto qendra të dukej sikur ishe në Pikadilli në orën e dyndjes, derisa me kohë ata që e kishin moshën hynë në shkollë.

Por qendrat e pritjes janë plot me kundërshti. Gazavaji i ditës, natën bëhej dënesë, tek gjumi sillte prapë tmerret e luftës.

Anëtarët e personelit në qendrat e pritjes u bënë jo vetëm administratorë; ata u bënë edhe miqtë, këshilltarët, të besuarit e banorëve. Ata shihnin, dëgjonin dhe merrnin pjesë në dhembjen e të gjithëve. Një rol jetik e kanë luajtur sidomos në procesin e mëkëmbjes, duke i nxitur njerëzit të kapërcenin pragun e derës, dhe të dilnin për të parë qytetërimin e britanikëve. Shumë nga anëtarët e personelit ishin kosovarë të ardhur me kohë dhe takimi me të ardhurit rishtas, për ta kishte diçka krejt e veçantë sepse i mbante shpresa mos u kishte ardhur njeri nga fshati a qyteti i vet, apo mos ndokush u sillte lajm për njerëzit që i kishin lënë në shtëpi. Këta u bënë si urë kalimi midis banorëve dhe personelit, që ç'është e drejta s'para merrte vesh shqip. Personeli punonte pa përtim që njerëzit të merrnin atë që u takonte, u ndihmonin të gjenin punë ose të hynin në kurse e kolegje të përshtatshme, apo të rahatoheshin në banesat e reja.

Në qendrat e pritjes shpesh bëheshin lloj-lloj veprimtarish, herë me plan e herë pa plan. Kosovarët dinë vërtet të bëjnë festa. Festa më e madhe u bë për Ditën e Pavarësisë – me muzikë dhe këngë e valle, me flamuj shqiptarë, me gazmend, e me lodra – dhe të gjithë qenë veshur me rrobat më të mira për ta kremtuar lirinë. Festa u bë edhe më e hareshme ngaqë ato ditë sapo qe nënshkruar marrëveshja e paqes, kështu që shumë kosovarë do të ktheheshin në atdhe.

Këtu, në qendrat e pritjes, mund të shihej se sa për zemër e morën britanikët – qoftë si komb, qoftë si pushtet lokal – gjendjen në të cilën ishin katandisur kosovarët. Refugjatët u pritën me zemër të ngrohtë. Njerëzit sillnin dhurata, vinin për t'u ndihmuar, dhe shpesh i ftonin të dilnin bashkë. Një përgjegjës në një qendër pritjeje thoshte se gjatë javëve të para çdo ditë dukej si të ishte Krishtlindje!

Një gjë e mëson njeriu në qendrat e pritjes – kosovarët nuk janë viktima, ata s'jepen lehtë, janë të fortë dhe ju punon mendja. Britania e Madhe mund të duket si një vend i frikshëm, sidomos kur je i shtrënguar të dalësh në jetë vetëm për vetëm e të mësohesh me një mjedis krejt ndryshe nga i yti. E megjithatë, me vullnetin e njerëzve që kurrë s'dorëzohen, ata prapë ia dolën mbanë me sukses kur iu desh të dilnin me banesë më vete. Merret vesh që nuk mbetën krejt vetëm. Ekipe të punonjësve të

lakes of sadness...screams of laughter

weeks it was like Christmas every day!

One thing one learned at a reception centre was that Kosovars are not victims; they are survivors, strong and resourceful. Britain can be a scary place when you have to go out and face the reality of living in and fitting into a community which is so different from your own. Nevertheless, their resolve to survive once again came to the fore as they made that huge step to set up homes for themselves. They were not left entirely alone, of course. Teams of project workers, often made up of staff from the reception centres where the refugees had lived, were there to offer on-going support. These Post Reception Support Teams ensured that the transition from living in an institution where everything was done for them to independent life in the community went as smoothly as possible.

Liqej të pikëllimit...bërtima të qeshurash

ngarkuar me projektet për ta - që shpeshherë përbëheshin nga personeli i qendrave të pritjeve ku kishin banuar refugjatët - ishin përherë të gatshëm t'u ndihmonin. Këto ekipe të ndihmave për periudhën pas daljes nga qendrat e pritjeve punuan që njerëzit ta kishin sa më të lehtë kalimin nga jetesa në institucion, në një jetë më vete në mes të banorëve vendas.

Kosovo Inside Me

Often, without noticing, I turn my back on the horizon of this coastal city. Even when the last ray of the setting sun fades behind it, however enchanting the sight may be, to me it is lacking, and moreover remains and will be forever foreign. And every time I gaze at it, I know that I will never be able to see that horizon any differently. It will never extinguish the longing that Kosovo inspires in me. It never will. Instead I often, almost always, turn my head to the eastern side of the city, seeking solace in the hilly landscape which surrounds it. Yet still I do not, though I easily could, take that sight to be a view of Kosovo, because simply by standing solidly where it is, it never can be Kosovo to me.

Everyday, behind that hilly landscape on the outskirts of the city, with its sloping lines, I raise hills, lower meadows, slant gorges and lay fields and forests, thus creating a Kosovo in me. Starting anew every time, I make and unmake landscapes, not because I cannot perfect a single one, for after all I want to do no such thing; but because the longing for Kosovo inside me would never be content with a single landscape, albeit a perfect one. A perfect landscape does not even exist, for every one is diminished by its eternal stiffness. Thus, I endlessly lay out landscapes, languishing afterwards in the illusion of a multitude of Kosovan landscapes behind those hills. One thing I realise: although the hills are not far, I shall never climb them to see what lies behind them. For even that landscape, no matter how beautiful, and more beautiful perhaps than any I create, solely by being there will not be Kosovo to me. No, it will not be a Kosovo inside me. Perhaps I am deceiving myself with these Kosovan landscapes, close but false, but I never search my memory for real ones, for merely to search would be to remember Kosovo in the past, something I dare not do.

I do not know what will happen, and I do not dare think of the future, since I do not know how close or... perhaps... distant Kosovo is in that future. That is why I take pleasure in the multitude of landscapes that I create. I thank God for imaginary landscapes through which I console the Kosovo inside me.

By Albana Berisha, in Liverpool, UK.

Kosova në mue

Shpesh, bile pa e venerue, ia kthej shpinën asaj vije të drejtë horizonti të qytetit bregdetar.
Edhe kur mbas saj shuhet rreze e mbramë e diellit perëndues, sado e kandshme ndoshta pamja, mue m'asht e thatë, e për ma shum, hala e gjithnji e huej.
E sa herë e shikoj, e di se asnjëherë s'do të mundem atë horizont ndryshe m'e pa. Mallëngjimet që ndezë Kosova në mue ai horizont s'i shuen, kurrë s'ka me i shue. Ma parë, përherë bile, e kthej kryet kah ai krah lindor i këtij qyteti në reliefin kodrinor të periferisë së të cilit, prehje lypi. Po as atë relief, sado që mundem shum lehtë, nuk e marr kurrë për pamje Kosove, se ai veç tue qenë i ngurosun aty ku asht, nuk mundet kurrnjiherë me m'u ba relief Kosove.

Reliefi kodrinor i periferisë së qytetit me vijat e pjerta asht vetëm relief mbas së cilit unë, përditë, naltësoj bregore, ul lugina, shpate lakoj, rrafshoj livadhe, shtroj fusha, pyje shtrij, e krijoj kështu relief të Kosovës, që nuk m'asht ma larg, e që s'asht thjesht mbas atyne vijave të pjerta të reliefit kodrinor – se relief kur atje formësoj, Kosovë krijoj në mue. Tue e nisë rishtas tanaherë, baj e zhbaj reliefe, jo pse s'mundem me përfundue nji të bukur, a me përsosë nji të vetëm, se fundja as që due diçka t'atillë me ba; po pse ngashërimi për Kosovën në mue nuk do të mjaftoheshte kurrë me nji relief të vetëm, qoftë ai edhe i përsosun. Relief të përsosun madje as që ka, se çdo relief, zhvleftësohet veç nga ngurosje e vet e përjetshme. Prandej, shestoj reliefe vazhdimisht, e prehem mandej në iluzionin e shumësisë së reliefeve mbas atyne kodrinave, që për mue janë reliefe Kosove. E kuptoj nji gja; edhe pse kodrinat s'janë larg, kurrë, hiç kurrë nuk do t'ju ngjitem me e pa reliefin e përtejmë që ato ma mshefin, se edhe ai, sado i bukur të jetë, qoftë edhe ma i bukur se secili që unë e shestoj, me vetë qenien e vet të përjetshme aty, relief Kosove nuk do të më jetë. Jo, nuk do të jetë relief i Kosovës në mue. E ndoshta mashtrohem, ndoshta rrehem me këto reliefe Kosove, t'afërta po t'imagjinueme, ama nuk kërkoj ndonjiherë në kujtesë reliefe të njimendta Kosove, se veç lypja e tyne do t'ish nji kujtim Kosove në kohën e shkueme, gja që unë s'guxoj me ba.

S'e njoh ardhmëninë, e t'ardhmen nuk guxoj me e mendue, mbasi s'e di sa asht Kosova në te e afërt, a... ndoshta...e largët. Prandej kënaqem në shumsinë e reliefeve që sajoj. I falem Zotit për reliefet e imagjinatës, me të cilat, me nji Kosovë fill mbas kodrinave, aq të afërt e gati të prekshme, ngushëlloj Kosovën në mue që lyp Kosovën jashtë saj.

Nga Albana Berisha, Liverpul, Angli.

'When I left home during the war I was happy to know that I was going to have my baby in a safe place. My son was born in Scotland, we called him "Shpetim Scot", which means "Safe Scot".'

Remzije Ujupi 32, in Renfrew reception centre, Scotland.

'Kur e lashë shtëpinë gjatë luftës isha e lumtun që kisha me e lindë djalin në nji vend të sigurtë. Djali më ka lindë në Skotlandë dhe ja kemi lanë emnin Shpëtim Skot.'

Remzije Ujupi 32, në qendrën e pranimit Renfru, Skotlandë.

Recently arrived evacuees at a reception centre in Leeds arranged by the Refugee Council.
Photo by Howard Davies.

Të evakuuarit sapo kanë mbërritur në një qendër pritjeje në Lids, të organizuar nga Këshilli i Refugjatëve.
Photo by Howard Davies.

I will always be your child

Gjithmonë kam me qenë fëmija jot

Alberta is a child of strange demands. Her mother doesn't question them anymore; she just tries to do what she is asked.

Her latest obsession is wanting her mother to be a poet, to make up new poems, then write them down so Alberta can learn them by heart. Her requirement is only that these poems contain the words 'blood', 'liberty', 'freedom', 'Kosovo' and 'warrior'.

She is on her feet, a five year old in a velvet dress, hands by her side, on parade, a child refugee in a Leeds council house and she's off, chin up, eyes straight ahead:

'Kosovo, you are an old lady and I am your niece. Don't hurt me, don't kill me, don't maim me, because I will always be your child'. Then she beams and launches into another poem in honour of her father, the warrior.

In her five-year-old mind, it was her warrior father who personally fixed the plane to bring them from the filth and overcrowding of the Kosovan border last Spring to Leeds, the first of 4346 refugees offered shelter in Britain. Around their council estate in Potternewton in Leeds most of the windows are now boarded. Many of the families have already gone back to Kosovo.

Alberta është fëmijë me kërkesa të çuditshme. Nëna e saj më nuk ia kundërshton ato, veç përpiqet të bëjë çka i thuhet. Tash së fundi i ka shkrepur që ta bëjë nënën poete. I kërkon vjersha të reja një pas tjetrës. Dhe vjershat i do me shkrim që t'i mësojë përmendësh. Kërkesa e saj e vetme është se vjershat duhet të përmbajnë fjalët 'gjak', 'liri', 'Kosovë' dhe 'luftëtar'.

Tek e sheh më këmbë atë pesëvjeçare me fustan kadifeje, me duart në ije, si për paradë, s'të shpëton dot pa vënë re si e mban kokën lart e vështrimin drejt përpara kjo çikë refugjate në një shtëpi këshilli në Lids. Dhe, veç kur ia nis:

"Moj Kosovë, moj nanë plakë, unë jam mbesa jote. Mos më vraj e mos më prej, se gjithmonë do të jem fëmija jot!" Pastaj, ajo me fytyrë si rreze dielli, ia merr një vjershe tjetër për nder të të atit – është vjersha për luftëtarin.

Në mendjen e saj prej pesëvjeçareje, babai i saj luftëtar vetë e kishte rregulluar aeroplanin që t'i merrte nga balta e kampit ku të mbyste njerëzia, atje në kufi me Kosovën, e t'i sillte në Lids pranverën e shkuar, bashkë me të 4.346 refugjatët që gjetën strehë këtu, në Britaninë e Madhe. Në lagjen me shtëpi këshilli në Potërnjuton të Lidsit, shumica e dritareve tani janë zënë me dërrasa. Plot familje janë kthyer në Kosovë, por ka me mijëra të tjerë si Alberta me të amën, Selvete Bakiun, dhe të motrën Njomëzën (tre

Selvete Bakiu with her son Pamvarsim at their home in Leeds. Photo by Don McPhee.

Selvete Bakiu me të birin, Pamvarsimin, në shtëpinë e tyre në Lids. Photo by Don McPhee.

Chapter Five

But thousands like her, her mother, Selvete Bakiu, and her sister and brother, Njomza (3) and Pamvarsimi (1), are asking for more time.

In May 2000, the Home Office announced that the last free flight for Kosovans wishing to return home would be on 25th June. 'The UK has extended generous hospitality to a vulnerable group of people in their hour of need,' said a Home Office letter, 'and we have always made it quite clear that protection was given on a temporary basis only.'

The problem for Alberta and her family is that they have no home to go to, and her father, a vegetable trader in a country that is bankrupt, hasn't the means to buy a new one. Worst of all, the ruins of their home is in the village of Upper Bitije in Eastern Kosovo, now exclusively Serb. The Serbs who stayed behind there are now isolated, angry and bitter, and it's virtually impossible for any Kosovan to return there. Photographer Andrew Testa was only able to enter the village to photograph the ruins of Alberta's home under armed guard from the United Nations and was warned not to bring his translator, a Kosovar Albanian, into the village.

So far, the Bakius had heard nothing from the Home Office since it refused to allow Alberta's father to rejoin the family in Leeds after he went back to bury his brother in Kosovo back in October 1999.

Playing on the carpet in their Leeds council house, the younger children seem oblivious to those final weeks in Kosovo. Selvete survived the torching of her house by hiding in the cellar with her two daughters. She was seven months pregnant with her youngest son at the time and unable to run.

While the house burnt, Selvete was forced to gag her two-year-old daughter, Njomza, with her headscarf to stop the child screaming. 'When they took Daddy away, that was the worst,' says Alberta, the reciter of poems. 'But I was really scared when we were hiding. Njomza was stupid. She was trying to scream and we nearly got killed,'

At dawn, they fled from their village and for six months they stayed with relatives. Then they spent a month hiding in the mountains living on hoards of potatoes that the locals had buried, predicting the oppression to come. 'Then Daddy came and took us to Leeds,' says Alberta. 'He fixed everything. Now he is in Kosovo, building a lovely new house for us, but he might not be able to do it if the house is too expensive.'

'What possible reason do I have to stay in

vjeçe), e me të vëllain Pamvarsimin (një vjeç), që kërkojnë të rrinë edhe pak.

Në maj të vitit 2000, Ministria e Punëve të Brendshme të Mbretërisë së Bashkuar këmbënguli që refugjatët kosovarë duhet të dilnin prej këndej deri më 25 qershor, dhe kush do të kërkonte azil e kërkesa i refuzohej, do të nxirrej jashtë me detyrim. Oferta për udhëtimin e kthimit falas do të mbyllej më 25 qershor. "Mbretëria e Bashkuar tregoi mikpritje për një grup njerëzish të pambrojtur kur kishin nevojë", thoshte një letër e Ministrisë së Brendshme, "dhe e bëmë të qartë që në fillim se mbrojtja ishte e përkohshme". Rreth gjysma e 4.346 kosovarëve ndodheshin ende në atë kohë në Britani, dhe të gjithë thoshin se ju duhej të rrinin edhe do kohë.

E keqja për Albertën dhe njerëzit e familjes së saj është se s'kanë shtëpi ku të vënë kokën, sikur të ktheheshin, dhe i ati, bahçevan në një vend që ka falimentuar, s'ka të holla me se të blejë shtëpi. E keqja tjetër është se rrënojat e shtëpisë së saj ndodhen në fshatin e Bitijes së Epërme në Kosovën Lindore, që tani e kanë zënë krejt sërbët. Sërbët që qëndruan atje janë krejt të izoluar, të egërsuar e me inate të vjetra, dhe s'ka kosovar që pranon të kthehet atje mes tyre. Fotografi Andrew Testa, ka arritur të hyjë në atë fshat vetëm kur ka qenë i shoqëruar me roje të armatosur të Kombeve të Bashkuara. Para se të shkonte i kanë thënë të mos merrte guximin të sillte me vete në fshat përkthyesin, një shqiptar të Kosovës.

Deri tani familja Bakiu s'ka marrë vesh gjë nga Ministria e Brendshme që nga dita kur ia refuzuan kërkesën babait të Albertës që të bashkohej me familjen në Lids, pasi kishte shkuar në Kosovë për të varrosur të vëllain në tetor të 1999-ës.

Tek luajnë përdhe në qilim, në shtëpinë e këshillit në Lids, fëmijët e vegjël duket sikur i kanë harruar ditët e fundit që kaluan në Kosovë. Selvetja shpëtoi nga shtëpia në flakë se u fsheh në qilar bashkë me të bijat. Atëherë ishte shtatë muaj me barrë me djalin dhe nuk ngiste dot.

Ndërsa shtëpia digjej, Selvetja ia mbante gojën me shall së bijës, Njomzës, se mos ia dëgjonin klithmat jashtë. "Kur ma morën babain, s'kish më keq", thotë Alberta, recituesja e vjershave. "Po më shumë u tremba kur u fshehëm. Njomza është budallaqe. Donte të bërtiste, e desh na mbytën".

Me të dalë dita tjetër, ikën nga fshati dhe për gjashtë muaj ndejtën ndër kusherinj. Pastaj, një muaj të tërë e kaluan nga mal në mal, të fshehur, dhe hanin veç ca patate që i gërmonin në gropat ku i kishin vënë për t'i ruajtur banorët e atyre anëve, që e dinin se po u vinte një e keqe e madhe. "Pastaj babai erdhi në Lids," thotë Alberta. "Ai i rregulloi të gjitha. Tashti është në Kosovë, e po na bën një shtëpi të bukur të re, por ndoshta s'e bën dot po i kushtoi shtrenjtë."

"E pse dashkam të rri në Lids?" thotë e ëma. "Kosova është shtëpia ime, është vendi im. Secili ka vendin e vet. Po neve na duhet edhe ca kohë sa të gjejmë vend. Im shoq atje është dhe shtëpi po kërkon. Fle ku ta gjejë nata. Fëmijët nuk i çoj dot atje pas gjithë vuajtjeve".

I will always be your child

Leeds,' says her mother. 'Kosovo is my home, my place. Everyone has their place. But we need more time to find a place. My husband is there now, looking for a home for us, but he sleeps on different floors every night. I don't want to bring my children back to that after all they have been through.'

Selvete and her children are showing signs of recovery in a city that she says has been 'fantastic' to her. 'No-one has said a bad word to me.' In Leeds, local school children collected toys among themselves and delivered them to Brakenhurst Reception Centre in the days after the refugees arrived. 'I can't explain to you how it felt when we finally arrived at the airport in Leeds,' continues Selvete. 'To see all those people standing there waiting to take care of us. I was so ashamed in our dirty clothes. We weren't looking our best, but they kept telling us it didn't matter.'

Selvete says Alberta has taken to behaving like a mother herself. 'When I cry, she says to me, "Mummy, what is it, why are crying?" And then she recites her list:

"Is it because the house was burnt?

Is it because Uncle Mome got killed?

Is it because Daddy is not here?"

Alberta watches the news on TV and she calls me out of the kitchen to come and listen even though I don't understand English.'

Back in Leeds, the children are watching afternoon television and playing with Pokeman cards. Selvete doesn't know how her family will adjust to the return, but for now she is busy coping with her oldest daughter's obsession with poems.

The translator asks Alberta what she remembers most about Kosovo and the five year old jumps up: 'I am little. I don't know very much of my beautiful Kosovo.'

Gjithmonë kam me qenë fëmija jot

Ka shenja Selvetja me fëmijët se po e marrin veten në një qytet që është treguar "i mahnitshëm" me ta. "S'më ka thënë kush një fjalë të keqe". Fëmijët e shkollave aty përreth mblodhën lodra dhe ia çuan qendrës së pritjes së Breikënhërstit pak ditë pas mbërritjes së refugjatëve. "S'di si të ta them se çfarë kam ndier kur më në fund mbërritëm në aeroportin e Lidsit," vazhdon Selvetja, "kur pashë gjithë ata njerëz që pritnin të kujdeseshin për ne. Më erdhi turp për rrobat e ndyta që kisha në trup. Kush e di sa keq dukeshim, por të gjithë na thoshin se s'prish punë".

Selvetja thotë se Alberta ka filluar të sillet si të ishte nënë. "Kur më kap vaji, ajo më thotë: - Ç'ke nënë, pse qan, - dhe pastaj po vetë m'i numëron një për një arsyet:

"Qan se të asht djegë shtëpia?"

"Qan se t'u vra mixhë Momja?"

Qan se baba s'asht këtu?"

"Atlanta sheh lajmet në televizor dhe më thërret që të vij nga kuzhina e të dëgjoj, edhe pse unë nuk di anglisht."

Sipas Ministrisë së Brendshme, qëndrimi për kosovarët mbetet i pandryshueshëm: "Ata që rrinë pas datës 25 qershor teknikisht quhen shkelës dhe i zë ligji i kthimit të detyrueshëm". Këtu në Lids ndërkohë fëmijët vazhdojnë të shohin programin e pasdites në televizor ose të luajnë me karta Pokemon. Selvetja ende s'di se si do t'ia bëjnë po të kthehen, ndërkaq e bija e madhe s'e lë një minutë pa punë se do që t'i kopjojë vjershat patjetër.

E pyes me përkthyes Albertën se çfarë mban mend më mirë nga Kosova, dhe pesëvjeçarja hidhet e më thotë: "Jam e vogël dhe s'mbaj mend shumë gjana prej Kosovës sime të bukur".

the evolving community

komuniteti në zhvillim

Arriving to live in a foreign country can be daunting at the best of times and even harder without friends or a grasp of the language. To overcome the difficulties, community organisations have evolved, providing a sense of security and practical support. Skender Osmani, bilingual project worker at the Oda Voluntary Returns Centre and himself a refugee, describes the problems of relocating: 'You must understand. To leave your own country and go elsewhere is a very hard process. People don't choose to do that. People are forced for various reasons to leave their families behind and start a new life. People in Britain might think that it is easy, because here they have choices. The majority of people in countries where conflict arises in war don't have a choice, and that makes it hard.'

The Kosovars who arrived on the Humanitarian Evacuation Programme have been fortunate to have a place to live and immigration status, which allowed for education and employment opportunities. For the vast majority of Kosovars who arrived in a steady flow before and since the war, life can be difficult as Skenda explains: 'Asylum seekers and refugees are often locked in the system for seven or eight years. I waited seven years for an answer to my application for asylum, which meant that I was not allowed to travel. I was forced to stay, and I knew that if I left, my situation would get worse, so my choices became less and less.'

The influx of Albanian Kosovars during the 1990s greatly increased numbers, but there have

Kush mbërrin në vend të huaj e ka zor t'ia dalë pa miq, e më zor kur s'e di as gjuhën. Për t'i kapërcyer vështirësitë bashkësitë kanë ngritur organizata që u japin njerëzve atë siguri që u mungon dhe mbështetje për çështje praktike. Skender Osmani, punonjës i seksionit të Odës për kthimin vullnetar, që është vetë refugjat, e përshkruan kështu vështirësinë e rivendosjes: "Kuptohet që kur ikën nga vendi yt e kërkon të vendosesh në një vend tjetër, nuk është e lehtë. Njerëzit s'e bëjnë këtë gjë pse u pëlqen. Shumëkush detyrohet për arsye të ndryshme të lërë familjen e të nisë jetë të re. Njerëzit këtu në Britani kujtojnë se është gjë e lehtë, sepse atyre s'u mungojnë alternativat. Por shumica e njerëzve në ato vende ku plasin konflikte nuk kanë nga t'ia mbajnë, prandaj them se e kanë të zorshme."

Kosovarët që erdhën me Programin e Evakuimit Humanitar qenë me fat se gjetën vend ku të banojnë dhe morën statusin e emigrantit, kështu që kishin mundësi për arsim dhe për punë. Kurse shumica dërrmuese e kosovarëve që vinin me qindra para lufte dhe që kur nisi lufta s'e kanë pasur aspak të lehtë, siç shpjegon Skenderi: "Shpesh azilkërkuesi apo refugjati ngecet në hallkat e sistemit për shtatë a tetë vjet. Unë kam pritur shtatë vjet që të më jepet një përgjigje për kërkesën e azilit. Isha i shtrënguar të rrija e të prisja, sepse e dija që po të ikja prej këndej, gjendja ime do të keqësohej më shumë, kështu që s'kisha nga t'ia mbaj fare".

Dyndja e shqiptarëve të Kosovës gjatë viteve '90 e rriti së tepërmi numrin, por këtu ka pasur moti grupe që kanë punuar për t'u kujdesur për bashkësinë shqiptare nga Kosova. Këto grupe kanë qenë kryesisht në Londër.

Nga fundi i shekullit 19-të, Antonio Preça nga Peja qe shqiptari i parë prej Kosove që erdhi në Angli. Ishte nacionalist shqiptar dhe doli në mërgim për t'i shpëtuar përndjekjeve nga qeveria turke. Ai hapi të parin

A Kosovar family wait for a train to Brussels by a poster for the Foreign Legion at Calais railway station, October 1999.
Many families were travelling to Brussels, because they could not afford the cost of being smuggled into the UK by lorries which were increasingly being searched by customs.
Photo by Dan Atkin.

Një familje kosovare pret trenin për në Bruksel pranë një pankarte për Legjionin e Huaj në stacionin hekurudhor të Kalesë, tetor 1999. Shumë familje bënin udhën deri në Bruksel, sepse nuk mund t'i paguanin shpenzimet për të hyrë në Mbretërinë e Bashkuar me kontrabandë me maune, të cilat kontrolloheshin gjithmonë e më rreptë nga punonjësit e doganës.
Foto nga Dan Atkin.

for a long time been groups catering for the Kosovar Albanian community in the UK, often based in London.

At the end of the 19th Century, Antonio Preça from Peja was the first Kosovar Albanian to arrive in the UK. As an Albanian nationalist, he became a refugee in order to escape persecution by the Turkish authorities. He opened the first Albanian restaurant, Trepça, situated in the City and it soon became the centre of activities for Albanian exiles.

Regular visitors to the restaurant included Edith Durham (1863-1944), the traveller and writer, and Colonel Aubrey Herbert (1876-1923) the MP and traveller, who campaigned for Albania's independence during the Balkan Wars in 1912-1913. He later founded the Anglo-Albanian Society in 1918. From then on, both he and Edith Durham championed the cause of independence.

Faik Bey Konitza (1875-1942), the Albanian writer and publisher of *The Albanian Review* was also a regular guest. During the Conference of Ambassadors in London (1912-1913), the restaurant was regularly patronised by prominent Albanian patriots like Ismail Bey Kemal, the first president of the Albanian Government.

At the end of the Second World War, only a few Albanians from Kosovo lived in the UK. There was, however, a much larger number from Albania and most were members of the now renamed Anglo-Albanian Association.

Some Kosovar Albanians became members of the newly founded Albanian Society of Great Britain, when it was established in 1958 by the Albanian communist government in Tirana and its left wing British supporters. In an unusual retail move for a Government that shunned diplomatic representation in London, they opened a shop in Covent Garden which sold both political material and cultural artefacts from Albania.

With the abolition of Kosovan autonomy in 1989, the regime of Slobodan Milosevic intensified the brutal campaign against Kosovar Albanians, forcing many people to flee, some of whom came to Britain.

In 1992, in Kosovo, a referendum for a free and independent Kosovo was organised. At the house of Agron Loxha, in London, over 230 Kosovar Albanians took part in their own self-organised referendum and voted overwhelmingly in favour of independence.

That same year, Isuf Berisha, a Kosovar journalist and political activist, who stayed from time to time in London, proposed the opening of an Albanian Club. With the help of a number of other Kosovar Albanians, the Club was established and named after the Albanian writer, Faik Konitza. Political discussions about the situation in Kosovo included guest speakers such as President

restorant shqiptar në City dhe emrin ia vuri *Trepça*. Pa kaluar shumë kohë, ai restorant u bë si pikë kryesore e veprimtarisë së shqiptarëve në mërgim.

Ndër mysafirët e rregullt të restorantit kanë qenë Edith Durhami (1863-1944), udhëtare dhe shkrimtare, dhe kolonel Obri Herbert (1876-1923) anëtar i parlamentit dhe udhëtar, që nisën fushatën për pavarësinë e Shqipërisë gjatë Luftrave Ballkanike të 1912-1913-ës. Më vonë, më 1918, koloneli themeloi Shoqërinë Anglo-Shqiptare. Qysh prej atëherë, ai bashkë me Edith Durhamin u bënë përkrahësit e çështjes së pavarësisë shqiptare.

Faik Bej Konica (1875-1942), shkrimtar dhe botues i *The Albanian Review* ka qenë klient i rregullt i *Trepçës*. Gjatë Konferencës së Ambasadorëve në Londër (1912-1913), në restorant vinin rregullisht figura të shquara patriotësh shqiptarë si Ismail Bej Qemali, kryetari i qeverisë së parë shqiptare.

Deri nga fundi i Luftës së Dytë Botërore, në Britani ndodheshin pak shqiptarë prej Kosove. Por nga Shqipëria kishte shumë dhe pjesa më e madhe e tyre ishin anëtarë të Anglo-Shqiptares që tani quhej Shoqatë.

Disa shqiptarë të Kosovës u bënë anëtarë të një shoqërie të porsaformuar – Shoqërisë Shqiptare të Britanisë së Madhe, e cila u themelua më 1958 nga qeveria komuniste shqiptare në Tiranë dhe përkrahësit e saj majtistë në Britani. Me një manovër tregtare të pazakontë për një qeveri që ia kishte mbyllur dyert kanaleve diplomatike me Londrën, këta hapin një dyqan në Kovent Garden për të shitur material politik dhe artefakte e sende artizanati nga Shqipëria.

Me suprimimin e autonomisë së Kosovës më 1989, regjimi i Sllobodan Milloshevigit e fuqizoi fushatën brutale të shtypjes së shqiptarëve të Kosovës, duke i detyruar qindra njerëz ta lënë vendin e, disa prej tyre, të vijnë deri në Britani.

Më 1992 në Kosovë u mbajt një referendum për një Kosovë të lirë e të pavarur. Atëbotë, në shtëpinë e Agron Loxhës, në LONDON, u mblodhën 230 e ca kosovarë që organizuan referendumin e vet dhe votuan me shumicë dërrmuese për pavarësi.

Po atë vit, Isuf Berisha, gazetar prej Kosove dhe veprimtar politik, që vinte herë pas here e rrinte nga pak në Londër, propozoi ngritjen e Klubit Shqiptar. Me ndihmën e disa shqiptarëve të Kosovës, Klubi u themelua dhe iu dha emri i shkrimtarit shqiptar Faik Konica. Në fillim selinë e kishte në Kings Kros dhe më vonë doli në Çok Farm.

Diskutimet me temë politike për gjendjen në Kosovë përfshinin të ftuar të rangut të tillë si kryetari Ibrahim Rugova dhe kryeministri Bujar Bukoshi. Shpesh organizoheshin ekspozita dhe shfaqje kulturore. Më 1995, Klubi, që tani është shndërruar në Qendër të Bashkësisë Shqiptare, nisi botimin e revistës së përjavshme *Albania*, që e pati jetën dy vjet. Gjatë luftës në Kosovë, Qendra ka mbledhur të holla dhe vullnetarë në ndihmë të UÇK-së.

Qendra Informative e Kosovës u hap nga Qeveria Kosovare në Mërgim me qëllim që t'i jepte mjeteve të informacionit britanik të dhëna për gjendjen e vërtetë në Kosovë. Zyrtarisht Qendrën e hapi një përfaqësues i qeverisë kosovare, Abdyl Krasniqi, në shkurt 1992, ndërsa pjesën më të madhe të punës koordinative të përditshme e kryente Ilir Hamiti. Një herë në dy javë kjo

the evolving community

Ibrahim Rugova and Prime Minister Bujar Bukoshi. Concerts, exhibitions and plays were also organised. In 1995, the Club, now known as the Albanian Community Centre, started to publish a weekly magazine *Albania*, which ran for two years. During the Kosovo war, the Centre raised money and volunteers to support the KLA.

The Kosovo Information Centre (KIC) was founded by the Kosovo Government in exile with the aim of providing the British media with information about the real situation in Kosovo. Officially opened by a representative of the Kosovar government, Abdyl Krasniqi, in February 1992, it was Ilir Hamiti who provided most of the hands-on coordination. Every two weeks the busy team produced *Kosovo Communication*, a translation into English of news from Kosovo.

The Centre organised the collection in the UK of the 'three per cent', an obligatory tax for every Albanian outside of Kosovo. It also assisted asylum seekers from Kosovo and other parts of the Balkans. Regrettably, in November 1997, Prime Minister Bukoshi decided to close down the office, and during the Kosovo war there was no office in London at all.

In 1999, the KLA opened its own office in Golders Green, London, run by Pleurat Sejdiu. It played a role in collecting money, raising awareness of the conflict and supporting the activities of the KLA.

Kosovo Aid, now a registered charity in Britain, was founded in 1992 by a group led by Agron Loxha. Following the outbreak of war in Kosovo the organisation, in conjunction with the Albanian Muslim Society in London, sent over 150 tonnes of aid both to Kosovo and to the refugee camps in Albania. This soon expanded into providing funding for a range of different projects in both Kosovo and Albania.

The sudden influx of over 4000 Kosovar evacuees during the war increased the demand for community groups. Regional initiatives started up in Leeds, Derby and Scotland, the focus having previously fallen on London. Other groups, such as the women's organisation 'Hope for Kosova' played a valuable role in supporting evacuees by organising a variety of events and projects including helping women and children who were suffering trauma from the war.

Nobody knows for sure the current size of the Kosovar Albanian diaspora in the UK but some estimates put it above 20,000. As the situation in Kosovo evolves, refugee community organisations will continue to play a crucial role. They will be the focal point for a community trying to adapt to life in the UK and a valuable voice in the debate about the future of Kosovo.

komuniteti në zhvillim

zyrë ka nxjerrë rregullisht përkthimin anglisht të lajmeve nga Kosova, me titull *Kosova Communication*.

Qendra ka mbledhur tre-përqindëshin ndër kosovarët me banim në Britaninë e Madhe, që lypsej të paguhej nga çdo kosovar jashtë vendit të vet. Ajo ka ndihmuar azilantët nga Kosova dhe nga vise të tjera të Ballkanit. Për fat të keq, në nëntor 1997, kryeministri Bukoshi vendosi ta mbyllë atë, dhe gjatë luftës Londra mbeti pa zyrë të Kosovës.

Më 1999, UÇK-ja hapi zyrën e vet në Golders Grin me përgjegjës Pleurat Sejdiun. Ajo luajti një rol për mbledhjen e ndihmave në të holla, për ta bërë të njohur situatën e konfliktit dhe për të siguruar përkrahje për veprimtarinë e UÇK-së.

Ndihmë për Kosovën (Kosova Aid), tani është një shoqatë humanitare e regjistruar në Britani të Madhe, që u themelua më 1992 nga një grup i kryesuar nga Agron Loxha. Pas shpërthimit të luftës në Kosovë, kjo shoqatë, së bashku me Shoqërinë Islame Shqiptare në Londër, dërgoi rreth 150 tona ndihma në Kosovë e në kampet e refugjatëve kosovarë në Shqipëri. Tani ajo e ka shtrirë veprimtarinë dhe merret me sigurimin e fondeve për të financuar projekte me interes në Kosovë e në Shqipëri.

Ardhja e menjëhershme e më se 4,000 kosovarëve të nxjerrë nga kampet gjatë luftës, i shtoi kërkesat ndaj punës së grupeve të bashkësisë. Filluan nismat krahinore në Lids, në Darbi e në Skoci, teksa Londra kishte mbajtur deri atëherë peshën kryesore. Grupe të tjera, si "Shpresë për Kosovën", luajtën rol të vyer për të ndihmuar të ardhurit me veprimtari e projekte në ndihmë të grave e fëmijëve që vuanin pasojat e trondit jeve të luftës.

Askush nuk e di me siguri numrin e shqiptarëve të Kosovës në Britani të Madhe, por mendohet se kjo diasporë mund t'i ketë mbi 20,000 vetë. Me zhvillimet në Kosovë, organizatat e bashkësisë do të vazhdojnë të luajnë një rol thelbësor duke mbetur vatrat e bashkësisë në përpjekje për t'iu përshtatur jetës në këtë vend, dhe duke ia bashkuar zërin e tyre diskutimit për ardhmërinë e Kosovës.

Follow your life
By Frida Spahiu

Frozen heart, cold blood,
No mercy, no love, no passion,
Just a touch of frost.

No song, just a cry, frozen tears,
Empty heart, with no beat.
Life with no soul, smile with no joy.

A life with no dream, a dream with no door,
Deaf-mute, blind, dead, alive,
Feels no different,
Feels like there's no life.
Scream aloud, no ear can hear you,

See with your own eyes, nobody can see you,
Feel your pain, feel your sorrow,
Feel your weakness, wake up and follow.

Follow your life,
That you are leading,
Make some changes,
That you believe in.

Try to be strong,
Try to be brave,
Try for a better future,
Don't ever be afraid.

Kosovar Albanian teenagers argue whilst waiting for
the train in Calais.
Photo by Dan Atkin.

Shqiptarë të mitur nga Kosova bëjnë fjalë teksa presin
trenin në Kalé.
Foto nga Dan Atkin.

Jetoje jetën tande
Nga Frida Spahiu

Zemër e ngrime, gjak i ftoftë,
Pa mëshirë, pa dashni, pa ndjesi,
Veç nji ftoftsi.

Pa kangë, veç bërtimë, lot t'ngrimë,
Zemër e shpraztë, nuk rreh.
Jetë pa shpirt, buzqeshje pa gzim.

Jetë pa andërr, andërr pa dalë,
E shurdhët, memece, e verbtë, e vdekun, e gjallë.
Krejt duket njejtë.
Duket si mos me pasë jetë,

çirrru sa t'mundesh, s'ka vesh qi t'ndien,
Kqyr me sytë e tu, kurrkush s'mundet me t'pa,
Ndije dhembjen tande, ndije pikllimin tand
Ndije dobsinë tande, zgjou e ndjek.

Jetoje jetën tande,
Qi je tue e rrnue,
Ban do ndryshime,
Në t'cilat beson.

Mundhou me qenë e fortë,
Mundhou me qenë trimneshë,
Mundhou për nji ardhmëni ma t'mirë,
Kurrë mos u frigo.

Suffering from headaches, this Kosovar man had
come to find a doctor. The day centre had to seek a
temporary doctor following refusals by two
successive doctors to treat him.
Photo by Dan Atkin.

Ky kosovar ka dhembje koke dhe kërkon ta vizitojë
mjeku. Qendra ditore gjeti një mjek përkohësisht, pasi
dy mjekë me radhë nuk pranuan ta mjekojnë.
Foto nga Dan Atkin.

'We are now trying to involve ourselves in activities concerning Albanians here as well as those in Kosovo. We hope to set up English language courses for the Albanain refugees in Derby, which I believe is the most important step towards fitting into a community.'

Qerim Nuredini, 27, from Prishtina.

'Tash jemi tue u mundue me ba aktivitete për shqiptarët që janë këtu si dhe për ata në Kosovë. Shpresojmë me fillue me kurse të anglishtes për refugjatët shqiptarë këtu në Darbi, që asht, ma merr mendja, gjaja ma e randsishme për me u integrue në nji komunitet.'

Qerim Nuredini, 27, nga Prishtina.

A couple from Kosovo at the height of the war, in the disused living room of an old hotel in Westcliffe-on-Sea, Essex. The books were left by the holiday makers that used to frequent the place. Photo by Dan Atkin.

Një çift kosovar në kulmin e luftës në një dhomë të braktisur të një hoteli të vjetër në Uestklif-on-Si, Eseks. Librat kishin mbetur nga disa pushues që dikur vinin në këtë vend. Foto nga Dan Atkin.

Brother
by Lindita Maksuti

My brother was a naughty kid,
He'd come and mess up my room,
I would slap him first.
He smoked when he was twelve.
I told my Mum and Dad,
But it was me who bore the consequences.

My house was in the western part of Kosovo,
The place the war began.
We left our homes in very early 1998,
My brother was hit by a bullet on his ear,
He left us then to go on the run.
I would like his cheek near enough to slap again.

Vëllau
Nga Lindita Maksuti

Vëllaun e pata të halitshëm,
Dhomën shpesh ma bante lamsh,
Unë ia flakareshja shuplakë.
Duhanin e nisi 12 vjeç.
I kallxova nanës e babës,
po pasojat i vuejta vetë.

Shpinë e pata në Kosovën perëndimore,
Vendi ku lufta nisi,
Herët më 1998 shpinë e braktisëm.
Vëllaun ma plagosi plumbi në vesh,
Mandej na la e u nis me ikë.
T'ia kisha faqet ngat me ia flakareshë prap.

Kosovar children play in the shabby lounge of an
asylum seekers' hotel, Westcliffe-on-Sea, Essex, May 1999.
Photo by Dan Atkin.

Fëmijë kosovarë luajnë në sallonin e ndyrë të një hoteli
për azilkërkues, Uestklif-on-Si, Eseks, maj 1999.
Foto nga Dan Atkin.

the decision to return

vendimi pët t'u kthyer

In July 1999, one month after the last evacuation flight of refugees from Kosovo, a Voluntary Return Programme was set up to help them through the difficult decision about returning. Its aim was to provide Kosovar refugees with advice and information on returning to their country, including flights, mines awareness training, the shipment of furniture, and repatriation grants which would help people to get their lives started again.

Underlying any successful refugee programme is the principle that return should be dignified and safe and that people who were forced to flee during the crisis should be assisted in going home.

The Refugee Council Airports Team, which had facilitated the arrival of the evacuees at various UK airports, helped to operate the programme. IOM registered people wishing to return and helped to charter the aeroplanes. The Airports Team co-ordinated the rendezvous points where people would gather on the day before their flight.

'Oda', meaning 'meeting place' in Albanian, was set up by Refugee Action in September 1999

Në korrik të 1999-ës, një muaj pas fluturimit të fundit me Programin e Evakuimit Humanitar (HEP), qeveria, agjencitë e refugjatëve, dhe Organizata Ndërkombëtare e Migracionit (IOM) themeluan Programin e Kthimit Vullnetar. Ky program financohej nga qeveria britanike dhe kishte si qëllim t'u siguronte refugjatëve kosovarë këshilla dhe të dhëna për kthimin në vendin e vet, duke përfshirë këtu edhe të dhëna për udhëtimet me aeroplan, si dhe kurset për t'u ruajtur nga minat, transportimin e orendive, dhe fondin e riatedhesimit, që do të ishte si ndihmë që njerëzit ta nisnin jetën nga e para.

Agjencitë e refugjatëve e kishin të qartë se programi i kthimit duhej të ishte i tillë që kthimi të bëhej me dinjitet dhe pa rreziqe për të gjithë ata që u shtrënguan të largoheshin nga shtëpitë e tyre gjatë krizës. Ekipi i Mbërritjes pranë Këshillit të Refugjatëve, që kishte ndihmuar për ardhjen e personave të evakuimit në Lids, në Mançester, dhe në Aeroportet e Ist Midlandit, mori kërkesën për të punuar sëbashku me Kryqin e Kuq, me Veprimin Refugjat, me Këshillin Skocez të Refugjatëve, me Organizatën Ndërkombëtare të Migracionit (IOM), si dhe me qeverinë për të vënë në zbatim programin. Në fillim, Organizata Ndërkombëtare e Migracionit pranoi të merrej me bashkërendimin e pikave të takimit, ku njerëzit do të grumbulloheshin një ditë përpara nisjes.

Kosovars returning home to Kosovo from Leeds/Bradford airport, August 1999. Photo by Rod Harbinson.

Një çift të moshuarish hipin në aeroplan në Aeroportin e Lids/Bredfordit për t'u kthyer në Prishtinë, gusht 1999. Foto nga Rod Harbinson.

to provide information, advice and support to people who were trying to decide whether to return to Kosovo or stay in the UK. IOM staff processed applications and the Refugee Council's information team produced bilingual news fact sheets about the situation in Kosovo and the Voluntary Returns Programme itself.

The Airports Team co-ordinated the huge task of gathering the returnees at the rendezvous points in Huddersfield, Holmfirth, Leicester, Leeds, Barnsley and Wakefield. A team of bilingual workers, all from Kosovo, provided vital support, helping people to understand the process and re-assuring them before they travelled.

On the night before their flight, the returnees stayed in the rendezvous centres. Their luggage was weighed and checked in – the lengthiest part of the process due to the enormous amount of luggage people wanted to take with them. This was in stark contrast to the handful of possessions that they had arrived with. The bilingual staff jokingly referred to themselves as the only luggage handlers in the country able to lift luggage in both English and Albanian, but of course their role was much more important than that. Before the flights they talked to people about why they wanted to return at that time, what part of Kosovo they were going to, what they knew of the whereabouts of relatives and the state of their villages and what their jobs had been before the war.

Mines awareness training sessions were run by the British Army and the British Red Cross. These were of huge importance bearing in mind the number of mines and unexploded cluster bombs that still littered Kosovo. By June 2000 there was an average of 40 casualties per month and children were particularly at risk; 35% of all mine victims are under 17 years of age.

In December 1999, the Explore and Prepare Programme began. This enabled Kosovar heads of families and heads of communities to return to Kosovo to assess the conditions there and prepare for repatriation. Unlike those returning permanently on the Voluntary Returns Programme, they were given permission to re-enter the UK. Four hundred and twenty three people returned to Kosovo under Explore and Prepare, representing a large proportion of the HEP Kosovars in the UK. Many made the visit during the harsh months of the Kosovan winter and found it an invaluable way of finding out what had happened during their absence. During the NATO bombing about one third of the houses in Kosovo were damaged or destroyed and half of

Oda u ngrit më shtator 1999 për të dhënë informacion, këshilla dhe mbështetje për ata që po mundoheshin të vendosnin a të ktheheshin në Kosovë, apo të qëndronin në Mbretërinë e Bashkuar. Në zyrën e Odës kishte personel nga Veprimi Refugjat, nga Organizata Ndërkombëtare e Migracionit (IOM) dhe nga Këshilli i Refugjatëve. Personeli nga Organizata e Migracionit ishte ngarkuar me shqyrtimin e kërkesave dhe me shpërndarjen e informacionit për datat e udhëtimeve me aeroplan.

Ekipi i Aeroporteve merrej me detyrën e rëndësishme të grumbullimit në pikëtakime të personave që kishin vendosur të ktheheshin. Një ekip prej 12 punonjësish dygjuhësh, të gjithë me prejardhje nga Kosova, dhanë një ndihmë të vyer duke i ndihmuar njerëzit që ta kuptonin se ç'po bëhej.

Qendra të ndryshme në veri u përdorën si pikëtakime. Kishte dy syresh në Hadersfild, që drejtoheshin nga Shërbimet Shoqërore vendëse, një tjetër në Lester, të drejtuar nga Kryqi i Kuq, dhe, për etapën e fundit, qe ngritur një pikë në Lids, që drejtohej nga Këshilli i Refugjatëve. Njerëzit qëndronin në këto qendra një natë para se të niseshin për udhëtim. Aty peshohej dhe kontrollohej bagazhi i tyre – kjo ishte pjesa e procesit që hante më shumë kohë për shkak të sasisë shumë të madhe të bagazhit që njerëzit donin të merrnin me vete. Personeli dygjuhësh thoshte me shaka për veten e vet se ishin të vetmit në këtë vend që ngrinin bagazhe në të dyja gjuhët – që s'ishte gjë e vogël.

Personeli dygjuhësh intervistonte personat që ktheheshin për të ditur me saktësi arsyet pse ata kishin shprehur dëshirën të ktheheshin dhe vlerësonin se sa dijeni kishin këta njerëz për gjendjen në atdhe. Me këto lloj të dhënash, agjencitë kishin mundësi t'i përshtatnin shërbimet sa më mirë për njerëzit. Kurset e mësimit për mbrojtjen nga minat i organizonte Ushtria Britanike dhe Kryqi i Kuq Britanik. Ky hap qe shumë i dobishëm, po të kemi parasysh sasinë e panumërt të minave dhe predhave të paplasura që kishin mbetur ende në Kosovë. Fëmijët rrezikohen së tepërmi – 35% e të gjitha viktimave nga minat janë nën moshën 17 vjeçare. Pastaj, këtyre personave u shpërndahej ushqimi dhe sistemoheshin për fjetje në dhoma, që të ishin gati për t'u nisur të nesërmen.

Programi Kontroll dhe Përgatitje e nisi punën në dhjetor të 1999-ës. Me këtë program u jepej mundësia kryefamiljarëve dhe kryetarëve të bashkësisë kosovare që kishin Leje të Jashtëzakonshme Qëndrimi (ELR) të ktheheshin në Kosovë për të bërë një vlerësim të gjendjes së atjeshme dhe të përgatiteshin për riatdhesim. Ndryshe nga ata që ktheheshin përgjithmonë me Programin e Kthimit Vullnetar, këtyre të tjerëve iu dha e drejta të hynin përsëri në Mbretërinë e Bashkuar pa rrezikuar gjë nga statusi i përkohshëm që kishin. Me Programin Kontroll dhe Përgatitje në Kosovë u kthyen 423 vetë, që përbën një pjesë të madhe të kosovarëve të ardhur me Programin e Evakuimit Humanitar. Shumë syresh e bënë vizitën gjatë muajve të dimrit të egër kosovar.

Ekipi i Aeroporteve u mor edhe me

the decision to return

the country's agricultural assets were lost – this is a significant factor given that the mainstay of the Kosovan economy is subsistence farming.

The Airports Team also co-ordinated the return of Explore and Prepare participants to the UK, meeting them at Heathrow and organising the rest of their journeys across the country. On return, the team carried out further interviews to assess what people had discovered back in Kosovo. 60% found that their homes had been completely destroyed and only 6% found they had a job to go back to. The Programme finished at the end of April 2000.

The Kosovan voluntary Returns Programme represents the most rapid ever repatriation of any refugee group. By May 2000, 49% of the evacuees had returned on a permanent basis; 2151 people, including Kosovars who came to the UK before the evacuation, travelled back to their homeland. At the time of writing people are continuing to return at a steady rate.

The anniversary of the last evacuation flight, 25th June 2000, signalled the end of the one year of temporary protection that evacuees had been given by the UK Government.

For those who made the decision to return to Kosovo permanently it was a hugely emotional time. Many were doing so with very mixed feelings. Feelings of excitement at seeing their country again and being reunited with family and friends, but also apprehension about what they would find and what the future held. Not knowing whether they had the prospect of living securely or if they would be able to rebuild their houses or find work.

In September 1999 UK Government declared Kosovo safe for ethnic Albanians. However, there remain vulnerable people, who were unable to return after their temporary status expired. Many still suffer from ill health and the health care system in Kosovo is functioning with severely limited resources. Others are so traumatised by events that they could not contemplate returning after one year. Many people's homes were destroyed, and it will take time and money to rebuild them. Some feel that the situation in the Balkans is still volatile and are unwilling to expose their children to risk. The decision to return is always a difficult one and the refugee charities see their role as supporting people to make those decisions.

vendimi për t'u kthyer

bashkërendimin e kthimit në Mbretërinë e Bashkuar të personave që kishin përfituar nga Programi Kontroll dhe Përgatitje. Ata i pritnin vizitorët në aeroportin e Hithrout dhe organizonin pjesën e udhëtimit që mbetej. Ndërkohë bënin edhe intervista të shkurtra me të kthyerit për të kuptuar se çfarë kishin parë këta njerëz në Kosovë. Si përfundim, 60% e tyre i kishin gjetur shtëpitë krejt të rrënuara, dhe vetëm 6% prej tyre kishin mundësi të zinin punë po të ktheheshin. Programi u mbyll në fund të prillit 2000.

Progami i Kthimit të Kosovarëve përbën riardhesimin më të shpejtë që ka ndodhur ndonjëherë me grupe të ndryshme refugjatësh. Deri nga maji i vitit 2000, 49% e personave të ardhur me Programin e Evakuimit qenë kthyer përgjithmonë në vendlindje. Gjithësej 2 151 vetë (si nga të evakuimit apo ndryshe) kishin marrë rrugën për në atdhe me 22 aeroplana. Përvjetori i udhëtimit të fundit të evakuimit, 25 qershori i vitit 2000, shënoi mbarimin e periudhës së Lejes së Jashtëzakonshme të Qëndrimit që iu dha personave të evakuar. Të gjithë ata që kishin ardhur me këtë program evakuimi dhe që dëshironin të qëndronin në Mbretërinë e Bashkuar pas kësaj date, duhej të bënin kërkesë ose për shtyrjen e lejes së qëndrimit (ELR) ose të kërkonin azil. Kërkesat e kësaj kategorie do të shqyrtoheshin në bazë individuale nga Ministria e Brendshme. Në këto rrethana, qeveria vendosi t'i japë fund Programit të Kthimit Vullnetar plot një vit pas mbërritjes së aeroplanit të fundit me persona të evakuar.

Ata që vendosën të kthehen përgjithmonë në Kosovë kaluan çaste tejet të ethshme. Shumë prej tyre po ktheheshin me lloj-lloj ndjenjash në vetvete: nga njëra anë i mbante shpresa për t'u bashkuar me njerëzit e familjeve dhe me miqtë, nga ana tjetër i hante frika se çfarë i priste në të ardhmen, i mundonte pasiguria për një jetë e jetesë të sigurt e me dinjitet.

Qeveria e Britanisë së Madhe e ka shpallur Kosovën të sigurt për shqiptarët etnikë. Megjithatë ka njerëz të pambrojtur që s'kanë mundësi të kthehen si t'u ketë mbaruar statusi i përkohshëm. Ka shumë nga ata që ende janë të sëmurë, dhe sistemi shëndetësor në Kosovë punon në kushte të mungesave të jashtëzakonshme. Ka të tjerë që janë tronditur aq fort nga ngjarjet sa që as e çojnë dot nëpër mend që të kthehen kaq shpejt. Shumë shtëpi janë rrënuar, dhe do të duhet shumë kohë për t'i ndërtuar prapë. Disa mendojnë se gjendja në Ballkan është e tepër e paqëndrueshme ende, dhe nuk duan t'i vënë në rrezik fëmijët e tyre. Vendimi për t'u kthyer është i vështirë, por agjencitë e refugjatëve i kanë mbështetur ata që kanë vendosur të kthehen.

I did not want you to leave
by Xhevahire Sylejmani

My wedding dress drenched with tears
Is being saved in a special box,
In the hope that you will return.
Although you left I write in disbelief,
In that night with no stars,
The moon was our witness.
I did not want you to leave,
I wonder who deceived you.
We pondered to return several times,
But will you return to my heart,
Who knows?

Your shoulder will ease my pain tonight,
Stars will shine into our room again,
Tears of joy will flow.
You enlighten my soul.
Forever, it seems that we live worlds apart,
There will be joy and happiness,
Glasses shall be raised.

A family of evacuees says farewell to friends at Stretton
House reception centre on their return to Kosovo.
Photo by Rod Harbinson.

Nji familje e të evakuuemve përshëndete me shokë para se
me u nisë në Kosovë, në qendrën e pritjes Stretton House.
Fotoja nga Rod Harbinson

Ikjen s'ta desha
nga Xhevahire Sylejmani

XHaketin e nusërisë përplot pika lot
Ende në kutinë e celebrimit po e ruaj,
Vetëm për TY që të më kthehesh sot.
Anipse më ike në mëdyshje po të shkruaj,
Hënën dëshmitare në natën pa yje e patëm,
Ikjen s'ta desha – kush të mashtroi s'e di,
Rifillimin e kthimit disa herë e matëm,
E TI do të më kthehesh në zemër – kushedi?

Sonte dhembjen do ta shëroj në gjoksin tënd,
Yjet do të shëndrisin në dhomën tonë një ditë,
Lotin e gëzimit do ta derdhim anëkënd.
E imja ballëdjegur që shpirtin ma ndritë.
Jetërisht, midis meje dhe teje qenkan vërtet dy bota,
MANIfestim hareje gëzueshëm do të cakrrohet gota.

An elderly couple board an aeroplane at Leeds/Bradford airport on their return to Prishtina in August 1999. Photo by Rod Harbinson.

Një çift të moshuarish hipin në aeroplan në Aeroportin e Lids/Bredfordit për t'u kthyer në Prishtinë, gusht 1999. Fotoja nga Rod Harbinson.

'Explore and Prepare gives people the chance to go and see what the situation is without damaging their status here, otherwise it's a huge risk. Heads of household, which it was aimed at, could go on behalf of their partners and children to have a look and maybe do a bit of house repair before the whole family goes out. It's more humane to let people go that way and it makes return a more realistic, durable and safer solution for the more vulnerable members of the community, such as children and the elderly.'

Gerry Hickey, Refugee Action Voluntary Return Project.

'Programi Kontroll dhe Pregatitje ua jep njerzve rastin që të shkojnë dhe të shohin se si asht situata pa e dëmtue statusin e tyne këtu, përndryshe asht rrezik i madh. Kryefamiljarë, për të cilët asht ba programi, kanë mujtë me shkue në emën të bashkëshortëve e fëmijëve të tyne për me pa e ndoshta me riparue pak shpinë, para se me shkue krejt familja. Kjo asht shum ma humane dhe e ban kthimin ma real, ma të qëndrueshëm dhe ma te sigurtë për ma të rrezikuemit, siç janë pleqtë dhe fëmijët.'

Gerry Hickey, Veprimi për Refugjatë Projekti për Kthimin Vullnetar.

A boy is reunited with his grandfather after returning from England to the family farm near Prishtina.
Photo by Rod Harbinson.

Një djalë takon gjyshin pasi kthehet nga Anglia në atdhe te familja e vet në afërsi të Prishtinës.
Fotoja nga Rod Harbinson.

'Now I am very worried about my children's future. Although they
survived the worst – they escaped the bullets and saw many dead –
they are traumatised and are taking too long to forget. My wife
developed a kidney problem during those hard times in the camp
conditions. But they are all alive.'

Sabit Leci, 55, the village of Barilevë, commune of Prishtina.

'Tash jam tue u brengosë për ardhmëninë e fëmijëve të mi. Edhe pse
kanë shpëtue prej ma të keqes-kanë shpëtue prej plumbave e kanë pa
shum të vdekun- janë të traumatizuem e iu duhet shum kohë për me
ardhë në veti. Grueja m'asht sëmue prej veshkëve për shkak të kushteve
të randa nëpër kampe. Por shyqyr të tanë janë gjallë.'

Sabit Leci,55, nga fshati Barilevë, komuna e Prishtinës.

On 26th July 1999, the first flight of Kosovars
returned, just one month after the arrival of the last
evacuation flight. On arriving, this family reunite,
having had no idea of each others' whereabouts
since being parted during the war.
Photo by Jennifer Idrizi.

Më 26 korrik 1999 niset aeroplani i parë me kosovarë
që kthehen në atdhe, pikërisht një muaj pas mbërritjes
së aeroplanit të fundit me të evakuuarit. Me t'u kthyer,
kjo familje bashkohet përsëri, pasi qe ndarë prej luftës
dhe nuk e dinin ku ndodhej njëri apo tjetri.
Fotoja nga Jennifer Idrizi.

winning the peace
fitimi i paqes

The war may be over, but the conflict is not. After the massive military effort to reverse the repression and ethnic cleansing of Albanians from Kosovo came an equally massive effort to rebuild. Walls, roofs, windows, doors, roads, schools, hospitals. The electricity that lights them. Mines and cluster bombs lifted from farmers' earth and public spaces.

No-one can deny the huge effort in rebuilding Kosovo, by Kosovars themselves, and by the international community. Progress is made, in slow and painful steps. Kosovar families returned in huge numbers soon after the Serbian forces withdrew and scraped together shelter and support from the internationals in 'warm rooms,' collective centres, and with other families. No-one starved. There was remarkable energy, commitment and commerce reborn out of a decade of suffering.

The new Kosovo has a split personality. Here is a people lifted from the most brutal repression, busy and determined in their rebuilding, while down the street Serb and Roma houses burn. New families are forced to flee Kosovo – some 220,000 people out into Serbia and Macedonia. Violence and murder directed against non-Albanians in Kosovo is undertaken almost with impunity. Those Albanians who bravely speak out against the shadow of this new ethnic 'fascism' receive death threats. Law and order is weak or non-existent and criminals thrive. Judges cannot administer justice properly and policing is minimal. In the meantime, justice for those Kosovars murdered, raped or tortured by Serbian

Lufta vërtet ka mbaruar, veç konflikti jo. Pas një përpjekje madhore ushtarake për ta ndalur shtypjen dhe spastrimin etnik të shqiptarëve të Kosovës nisi një përpjekje po aq masive për rindërtim. Me mure, kulme, dyer, dritare, rrugë, shkolla, spitale…, rryma për ndriçim…, mina dhe shrapnela që spastrohen nga toka e bujqve dhe vendet publike. Thirrje drejtuar mendjeve dhe zemrave.

Askush nuk mund t'i mohojë përpjekjet e mëdha që po bëjnë vetë kosovarët dhe bashkësia ndërkombëtare për rindërtimin e Kosovës. Përparim bëhet, me hapa të ngadalshëm dhe plot dhembje. Familje të tëra kosovare u kthyen si lumë menjëherë pas tërheqjes së forcave sërbe, dhe me ndihmën e ndërkombëtarëve u strehuan disi në "dhoma të ngrohta", qendra kolektive dhe në familje tjera. Asnjeri nuk vdiq urie. Kudo ndjehej një energji e paparë, një angazhim dhe veprimtari ekonomike që lindte përsëri pas dhjetë vjet vuajtjesh.

Kosova e re ka një personalitet të ndamë. Nga njëra anë një popull i tërë që shpëton nga një shtypje mizore, i vendosur për ta rindërtuar vendin, dhe në anën tjetër, po aty, në fund të rrugës digjen shtëpitë e sërbëve dhe romëve. Familje të tjera shtrëngohen të ikin nga Kosova – nja 220 000 vetë kanë dalë në Sërbi e në Maqedoni. Dhuna dhe vrasja kërcënojnë ata që s'janë shqiptarë në Kosovë, dhe mbeten të pandëshkuara. Kërcënohen me vdekje shqiptarët që kanë guxim të ngrejnë zërin kundër hijes së këtij "fashizmi" të ri etnik. Rendi dhe ligji janë të dobët ose s'ekzistojnë fare. Krimi lulëzon. Gjykatësit nuk mund ta zbatojnë si duhet ligjin dhe policia është tepër e vogël. Ndërkohë, drejtësia për kosovarët e vrarë, dhunuar e torturuar nga banditët e shtetit sërb ose paraushtarakët, ecën ngadalë, sepse Gjyqi Ndërkombëtar për Krime në ish Jugosllavinë përballohet me mungesa serioze financiare. Për bashkësinë ndërkombëtare fitimi i paqes nuk e ka

This village clinic run by Medecins San Frontiers reopened for one day a week, attracting many locals. Despite warnings of landmines in the area, villagers walked across open fields to get there. Photo by Rod Harbinson.

Kjo ambulancë fshati e organizuar nga Mjekët pa Kufij u hap përsëri dhe punon një herë në javë për t'u shërbyer banorëve vendës. Edhe pse e dinin që fushat janë të minuara, fshatarët prapë se prapë vinin më këmbë deri këtu. Fotoja nga Rod Harbinson.

state or paramilitary thugs is slow in coming, because The International Criminal Tribunal on former Yugoslavia faces a real shortage of resources.

For the international community, winning the peace is not quite as high a priority as winning the war. The whole year's budget for UNMIK is less than the cost of half a day's NATO bombing. UNMIK and its NGO and Kosovan partners in reconstruction are left to struggle with gargantuan problems – the legacy both of the war and of ten years' neglect by Serbia following the forced removal of autonomy – without adequate resources.

Those key partners in the first 'humanitarian war', the European governments, are making promises to Kosovo which they are simply not funding. Right now, they are also keen to wash their hands of the hundreds of thousands of Kosovars who fled and sought safety in Western Europe, either through their own perseverance or as part of the evacuation of Albanian refugees from camps in Macedonia. There is tough talk of forced return in the chancelleries of Europe, less thought about how the sudden arrival of tens of thousands of returnees may further destabilise an already fragile situation.

Stability is the Holy Grail of international engagement in the Balkans. The Stability Pact for southeastern Europe is indeed a welcome breakthrough in promoting regional solutions (even if it has yet to match words with hard cash and real action). We cannot build peace, stability and tolerance in Kosovo without also looking to the situation in the wider region.

For Kosovo does not sit in a box, alone in its misery. Its suffering and challenge is mirrored in Serbia, with the largest refugee population in Europe, still isolated under Milosevic's authoritarian regime, or in Bosnia-Hercegovina, still struggling to rebuild across on-going ethnic division five years on from the Dayton Agreement.

Indeed, it is the failure in Dayton to address Serbia's crude repression of Kosovo which has led us here today. International engagement in the region has too often been marked by a short-termist, crisis-reactive and fragmentary approach. This is starting to change and the Stability Pact is a sign of this. But engagement needs to be real, backed by the cash and other resources adequate to the scale of the task. Crucially, it needs to fully involve the people of the region itself in that economic, physical and civil reconstruction.

You will not build lasting stability without

atë përparësi që kishte fitimi i luftës. I gjithë buxheti vjetor i UNMIK-ut është më pak se paratë e shpenzuara nga NATO-ja për një gjysmë dite bombardimesh. UNMIK-u dhe organizatat joqeveritare me simotrat e tyre kosovare në rindërtim janë lënë të përpëliten me vështirësi gjigante – trashëgimi kjo e luftës dhe e braktisjes për dhjetë vjet nga Serbia pas heqjes së detyrueshme të autonomisë – dhe me mjete të pamjaftueshme.

Ata që ishin aleatët kryesorë të Kosovës në "luftën e parë humanitare" – qeveritë evropiane – japin premtime për të cilat thjeshtë nuk japin fonde. Pikërisht tani, ato qeveri duan t'i lajnë duart edhe nga ata qindra apo mijëra kosovarë që ikën nga atdheu dhe kërkuan shpëtim në Evropën Perëndimore, ose me përpjekjet e veta ose me programet e evakuimit të shqiptarëve nga kampet e refugjatëve në Maqedoni. Nëpër kancelaritë e Evropës dëgjohen fjalë të ashpra për kthimin e detyrueshëm, pa e çarë kokën më parë se kthimi i papritur i dhjetra mija njerëzve mund ta destabilizojë sitautën që edhe pa ta është fort e brishtë.

Stabiliteti është Fryma e Shenjtë e angazhimit ndërkombëtar në Ballkan. Pakti i Stabilitetit për Evropën Juglindore me të vërtetë është një përparim i mirëpritur për t'i vënë në udhë zgjidhjet e problemeve rajonale (edhe pse ende pritet që fjalët të bëhen vepra dhe të holla në praktikë). Paqja, qëndrueshmëria dhe toleranca në Kosovë s'mund të ndërtohen pa e shikuar gjendjen në tërë rajonin.

Sepse Kosova s'është e mbyllur në kuti, e vetmuar në mjerimin e saj. Vuajtjet dhe sfidat e Kosovës pasqyrohen në Sërbi që ka popullsinë më të madhe të refugjatëve në Evropë, dhe mbetet e izoluar nga regjimi autoritar i Millosheviçit. Ato pasqyrohen edhe në Bosnje e Hercegovinë, që qe pesë vjet, që nga Marrëveshja e Dejtonit, përpiqet ta kapërcejë përçarjen etnike.

Pa dyshim, dihej se do të vinim në këtë gjendje të sotme që kur Dejtoni nuk u morr fare me shtypjen mizore sërbe në Kosovë. Angazhimi ndërkombëtar në këtë rajon shpesh herë është karakterizuar nga një qëndrim afatshkurtër, i copëzuar dhe vetëm si reagim ndaj krizave. Ky qëndrim ka nisur të ndryshojë dhe Pakti i Qëndrueshmërisë e tregon këtë gjë. Por angazhimi duhet të jetë real, të mbështetet me fonde dhe burime të tjera të mjaftueshme për detyrat që dalin. Dhe ajo çka është me rëndësi kyçe – duhet që në këtë pakt të rindërtimit ekonomik, fizik e qytetar të përfshihen plotësisht vetë popujt e rajonit.

Nuk krijohet qëndrueshmëri afatgjate pa u marrë si duhet me të drejtat e kthimit të refugjatëve dhe të personave të zhvendosur brenda vendit. Dhe kjo kërkon që të gjenden zgjidhje reale, praktike dhe afatgjate për të gjithë refugjatët dhe grupet e zhvendosura, pavarësisht nga përkatësia etnike, kombësia ose nga arsyet pse janë larguar. Në këtë tablo të ndërlikuar të mjerimit njerëzor, fati i refugjatëve dhe të zhvendosurve të Sërbisë ka rëndësi të veçantë.

Pavarësisht nga deklaratat e fundit për tolerancë ndaj pakicave, që janë bërë nga radhët e bashkësive të properly addressing rights of return for refugees and internally-displaced people (IDPs). And this means finding real, workable and durable solutions for all refugee and displaced groups, regardless of ethnicity, nationality or the reasons for their flight. In this complex jigsaw of human misery, the fate of Serbia's refugees and IDPs is key.

Notwithstanding the recent declaration on tolerance for minorities made across community lines, there is little chance in the foreseeable future that Serbs or Roma could return in safety and dignity to the homes they fled. The international community failed to protect them in Kosovo and they are now subject to political manipulation by governing forces in Serbia. Yet it would be disastrous for the international community to give up on minority return, in Bosnia and Croatia as much as in Kosovo. No matter how distant the prospect, we must remain committed to the goal of multi-cultural and multiethnic states and keep resources and attention focused. The alternative is an ethnic cleanser's charter.

Key to solving the return question is the creation of real choice for individual refugees and IDPs. This means linking progress in building the conditions to encourage and support return with improving the integration of refugees in their place of exile. These are not incompatible. Flexibility and choice – more stability and better living conditions, better security, access to work, and the freedom to cross borders more easily – are key in promoting really durable solutions for the millions of refugees and IDPs in the Balkans, and in building stability. The crucial element is that people are able to make their own decisions on return or integration

The energy and determination so many people in 'local' NGOs display in their own work across the region is impressive. Their commitment to values of openness, toleration and human rights across ethnic and communal lines is a beacon of hope for the future. Pouring support into local civil society, into general human rights education, and into cross-border civic initiatives is as wise an investment in long-term stability as market reforms and repairing the electricity supply. They are the best chance for the future of Kosovo and the other countries of former Yugoslavia and the most strategic investment we and our representatives in the international community can make.

ndryshme, ka pak të ngjarë që në një të ardhme të afërt sërbët dhe romët të kthehen të sigurt e me dinjitet në shtëpitë prej nga kanë ikur. Bashkësia ndërkombëtare nuk i mbrojti dot në Kosovë, dhe tani këta njerëz përdoren për qëllime politike nga forcat qeverisëse të Sërbisë. E megjithatë, do të ishte katastrofë në rast se bashkësia ndërkombëtare do të hiqte dorë nga kthimi i pakicave si në Bosnje e Kroaci, ashtu edhe në Kosovë. Pavarësisht sa e largët mund të duket dita për realizimin e këtij objektivi, duhet të qëndrojmë fort në pozitën e shteteve shumë-etnike me larmi kulturore, dhe t'i përqendrojmë burimet dhe përpjekjet në te. Përndryshe do të luhet letra e spastrimit etnik.

Çelësi për zgjidhjen e çështjes së kthimit është t'u jepen alternativa reale të gjithë refugjatëve dhe personave të zhvendosur. Kjo do të thotë se procesi i krijimit të kushteve për inkurajimin dhe mbështetjen e planeve për kthimin e tyre duhet të shkojë dora dorës me një integrim më të mirë të refugjatëve në vendet e azilit. Në këto dy gjëra s'ka mospërputhje. Fleksibilitet dhe alternativa – më shumë qëndrueshmëri dhe kushte më të mira jetese, mundësi për punë dhe më tepër liri për kalimin e kufijve – këto janë themelore për mbështetjen e zgjidhjeve me afat të gjatë për miliona refugjatë dhe të zhvendosur në Ballkan, dhe për themelet e qëndrueshmërisë. Njerëzit duhet të jenë në gjendje të vendosin vetë a të kthehen në vendin e vet apo të integrohen aty ku janë.

Të bën përshtypje vrulli dhe vendosmëria që tregojnë në punën e tyre anembanë rajonit gjithë ata njerëz nga organizatat joqeveritare vendëse. Angazhimi i tyre për vlerat e transparencës, tolerimit dhe të drejtave të njeriut për të gjitha grupet dhe bashësitë etnike, është një fener shprese për të ardhmen. T'i derdhësh energjitë në ndihmë të ngritjes së shoqërisë civile vendore, për edukimin e përgjithshëm me parimet e të drejtave të njeriut dhe në nismat civile ndërkufitare do të thotë të bësh një investim të mençur e afatgjatë që vlen po aq sa edhe reforma e tregut dhe ndreqja e furnizimit me elektrik. Ky është rasti më i mirë që ne dhe përfaqësuesit tanë në bashkësinë ndërkombëtare ta bëjmë atë investim të vërtetë strategjik për të ardhmen e Kosovës dhe të vendeve të tjera të ish Jugosllavisë.

'If you ask me what I would do if I was told to go back to Kosovo now, I would be lost for an answer. My first worry is for my daughter's health. She was born disabled and her precarious situation was made worse by the trauma of war. I am afraid that if we were sent back I would lose my daughter. The doctors say that she needs a heart operation. It is a very complicated one and cannot be done in Kosovo.'

Adem Aliu, 52, from Prishtina.

'Nëse më pyetni se çka kisha me ba me më thanë me shkue në Kosovë, s'kisha ditë çka me thanë. Brengën ma t'madhe e kam për shëndetin e çikës. Ka lindë me t'meta dhe gjendja i asht keqësue prej traumave të luftës. Tutna se me ba me m'kthye m'vdes çika. Mjektë thojnë se i duhet me u operue në zemër. Operacioni asht shum i komplikuem dhe nuk mundet me u ba në Kosovë.'

Adem Aliu, 52, nga Prishtina.

Kosovar Albanian protesters in a cloud of tear gas fired by French KFOR forces to break up a large demonstration in Mitrovica, autumn 1999. The town remains divided along ethnic lines, with Serbs dominating the northern half, separated by the river. Many Albanians are resentful of having lost property to Serbs in the north and tensions continue to run high. Photo by Andrew Testa.

Protestues shqiptarë të Kosovës në një shtëllungë gazi lotsjellës të hedhur nga forcat franceze të KFOR-it për të shpërndarë një demonstratë të madhe në Mitrovicë, vjeshtë 1999. Qyteti mbetet i ndarë sipas përkatësive etnike; sërbët mbajnë pjesën veriore të ndarë nga lumi. Shumë shqiptarë janë të zemëruar se ua kanë marrë pronat sërbët në veri, dhe gjendja mbetet e acaruar së tepërmi. Fotoja nga Andrew Testa.

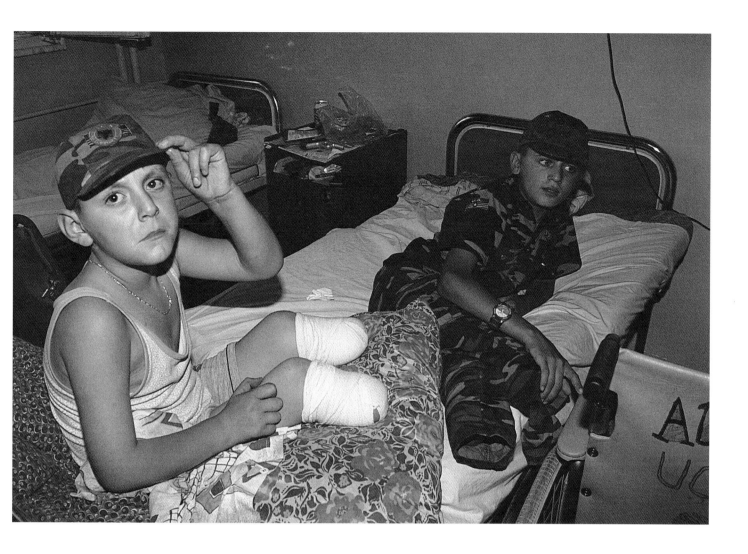

'Scotland was great, the people were nice, the countryside was lovely and we were welcomed in the nicest possible way. It was an amazing experience for us, getting to know a new country, a new culture, but in the end nothing can replace home.'

*Kadrush Xheladini, 36,
in East Lothian, Scotland.*

'Skotlanda ishte e mrekullueshme, njerëzit ishin shum të mirë, natyra ishte shum e kandshme dhe na kanë pritë si s'ban ma mirë. Ka qenë nji përjetim i veçantë për neve, kulturë e re, mirëpo kurrkund nuk asht si në shtëpi.'

*Kadrush Xheladini, 36,
në Ist Lotian, Skotlandë.*

These two boys in Prishtina University Hospital still proudly wear their KLA uniforms despite having lost their legs to landmines. The surgeon who had performed the operations was dealing with five to seven amputations a day from landmines and unexploded ordnance such as cluster bombs. With over 400 mainly young male victims since the war, these weapons are a cruel legacy and an obstruction to rebuilding.
Photo by Rod Harbinson.

Këta dy djem të Spitalit Universitar të Prishtinës vazhdojnë t'i veshin me krenari uniformat e UÇK-së, edhe pse u janë prerë këmbët nga minat. Kirurgut që i kishte operuar, i takonte të bënte pesë deri shtatë operacione të tilla në ditë nga viktimat e minave dhe të predhave të pashpërthyera, si bombat thërrmuese. Rreth 400 viktima, kryesisht djem të rinj, janë bërë sakat nga minat – kjo trashëgimi mizore që pengon rindërtimin.
Fotoja nga Rod Harbinson.

'Everyone in my family is grateful for the kind way they have been treated. It is only natural that we miss our home, but since the situation is still so very tense in Kosovo I do not feel that it is safe to take my family back there. My children are at school and for the sake of their schooling I wish to stay a little longer. God willing, if the situation improves, we will return to Kosova.'

Sabit Leci, 55, from the village of Barilevë, municipality of Prishtina.

'Krejt familja ua dimë për nderë për mënyrën në të cilën na kanë pritë. Natyrisht se na mungon shpija jonë, por mbasi që situata asht hala e tendosun në Kosovë, nuk ma merr mendja me u kthye me familje atje. Thmija janë tue m'shkue n'shkollë dhe për hatër t´tyne kisha me ndejtë pak ma gjatë. N' dhashtë Zoti me u ndreqë situata, kena m'u kthye në Kosovë.'

Sabit Leci, 55, nga fshati Barilevë, komuna e Prishtinës.

The Roma in Kosovo are among several ethnic minorities that have been persecuted by Kosovar Albanian factions since the war. They are accused of colluding with the Serbs. Here Kosovan Roma have fled to Italy.
Photo by Nigel Dickinson.

Romët e Kosovës janë ndër pakicat etnike që përndiqen nga fraksionet e shqiptarëve të Kosovës që nga koha e luftës. Ata akuzohen si bashkëpunëtorë të sërbëve. Këtu shihen romë të Kosovës që kanë dalë në Itali.
Fotoja nga Nigel Dickinson.

*'I am planning to return home as soon as my son gets better.
Kosovo is my country. We have fought and shed our blood to defend
it and I feel I must return no matter what.'*

Naim Limani, 34, from Sojevë, municipality of Ferizaj.

*'E kam njet me u kthye në Kosovë sa të m'bahet djali ma mirë. Kosova
asht vendi i jem. Kemi luftue e derdhë gjak për me e mbrojtë dhe
m'duhet me u kthye gjithqysh.'*

Naim Limani, 34, prej Sojeve, komuna e Ferizajit.

Çabra, a small village near Mitrovica, was shelled for
weeks before being levelled with bulldozers by Serb
forces determined to make the area a Serbian
stronghold, free of ethnic Albanians. By August 1999,
many ethnic Albanian residents had returned to live
in tents amongst the rubble. The enthusiasm to
rebuild was occasionally dampened by memories.
Photo by Rod Harbinson.

Çabra, një fshat i vogël afër Mitrovicës, u rrah me artileri
për javë me radhë pastaj u rrafshua me buldozerë nga
forcat sërbe që kishin vendosur ta kthenin atë në një
fortesë sërbe të spastruar etnikisht nga shqiptarët. Aty nga
gushti 1999, shumë shqiptarë etnikë u kthyen dhe ndejtën
në çadra midis rrënojave. Gëzimin e rindërtimit herë pas
here ua errësonin kujtimet.
Fotoja nga Rod Harbinson.

Biographies

Armend Bërlajolli
Armend Bërlajolli is a refugee from Kosovo who has lived in the UK since 1992. He graduated in Anthropology at UCL and is Bilingual Information Officer on the Refugee Council Kosovan Programme.

Lucy Bryson
Lucy Bryson was seconded from the Children's section at the Refugee Council to become deputy operations manager on the Kosovan Programme. She has gone on to become deputy manager for regional development of the new asylum support arrangements. From 1993-1997 she worked on the Bosnian evacuation project.

Pamela Coulson
Pamela Coulson was operations manager for the Kosovan Programme based in Leeds. She joined the Refugee Council in June 1999 to co-ordinate the management of two reception centres. She went on to run the support team and voluntary returns programme. Before working for the Refugee Council she was a housing association manager.

Bejtullah Destani
Throughout his time in the UK Bejtullah Destani has been an active member of the Kosovan community. A graduate in political sciences, he founded and is currently director of the Centre for Albanian studies based in London. His research at various institutes and archives has resulted in an array of academic publications. He is author of 'Albania and Kosova, Political and Ethnic Boundaries' and 'The Albanian Question'. His editorial work includes 'The letters of Faik Konitza' and 'Scanderbeg' by Harry Hodgkinson.

Matthew Grenier
Matthew Grenier is the editor of 'iNexile', the magazine of the Refugee Council. He has worked for the organisation for over six years, writing and editing a wide range of publications. He has also contributed articles to a number of newspapers and magazines, as well as writing a book on Chinese communism. He is currently working on a book about refugees in the UK.

Nick Hardwick
Nick Hardwick has been Chief Executive of the Refugee Council since June 1995. He is also Chair of the European Council for Refugees and Exiles and a member of the Prince's Trust Ethnic Minorities Advisory Group. From 1986-1995 Nick worked as Chief Executive of Centrepoint, the charity and housing association for young homeless people. During his time at Centrepoint Nick was seconded to the Department of the Environment for six months to advise the Housing Minister on the Government's Rough Sleepers Initiative.

Chris Lowry
Chris Lowry was Airport Support Team Manager for the Refugee Council Kosovan Programme. The team comprises a dynamic group of bilingual staff. She joined at the beginning of the programme in April 1999. She has worked with a diversity of NGOs and plans to work in Kosovo to participate in the reconstruction effort.

Maggie O'Kane
Maggie O'Kane, is a Special Correspondent for the Guardian newspaper. For her foreign news coverage she has won many major awards including: Journalist of the Year, Amnesty International Foreign Correspondent of the Year, Royal Television Society Award and the James Cameron Award for Journalism of Integrity. Her recent work has featured the Chechen and Kosovan Wars. Her areas of expertise also include The Middle East, The Balkans, Cambodia, Tibet, Afghanistan, Third World Debt and Northern Ireland.

Biografitë

Armend Bërlajolli
Armend Bërlajolli është refugjat prej Kosove që jeton në Britani prej vitit 1992. Ka diplomue në Antropologji në UCL dhe tash punon si Oficer Informacioni në Programin Kosovar të Këshillit të Refugjatëve.

Lucy Bryson
Lucy Bryson është deleguar nga programi për fëmijë i Këshillit të refugjatëve për t'u bërë zëvendës-drejtuese e operacioneve të Programit të Kosovës. Tash është duke punuar si zëvendës-drejtuese e zhvillimit rajonal të programit të përkrahjes së re për refugjatë. Prej vitit 1993 deri 1997 ka punuar në projektin e evakuimit të Bosnjës.

Pamela Coulson
Pamela Coulson ka qenë drejtuese e operacioneve për Programin Kosovar me qendër në Lids. Ajo ka filluar të punojë për Këshillin e Refugjatëve në qershor të 1999-ës për t'a bashkërenditë drejtimin e dy qendrave të pritjes. Ma vonë ka vazhduar me drejtimin e ekipit mbështetës dhe atij të kthimeve vullnetare. Para se të fillojë punën për Këshillin e Refugjatëve ishte drejtuese e asociacionit për banim.

Bejtullah Destani
Gjatë kohës sa është në Britani, Bejtullah Destani ka qenë anëtar aktiv i komunitetit shqiptar. I diplomuar në shkenca politike, e ka themeluar dhe tani e drejton Qendrën për Studime Shqiptare me seli në Londër. Hulumtimet e tij shkencore kanë si rezultat një mori të publikimeve akademike. Është autor i librave "Shqipëria dhe Kosova, kufijtë politikë dhe etnikë' dhe 'Çështja shqiptare'. Ka redaktuar disa libra ndër të cilat 'Letrat e Faik Konicës' dhe 'Skenderbeu' nga autori Harry Hodgkinson.

Mathew Grenier
Mathew Grenier është redaktor i 'iNexile', magazinë e Këshillit të Refugjatëve. Punon për Këshillin qe gjashtë vjet dhe shkruan e editon për një spektër të gjërë publikimesh. Ka shkruajtur artikuj për gazeta dhe magazina të ndryshme, si dhe një libër mbi komunizmin kinez.

Nick Hardwick
Nick Hardwick është drejtues i Këshillit të Refugjatëve prej qershorit të 1995-ës. Ai e drejton edhe Këshillin Europian për Refugjatë dhe të Ikur dhe është antarë i Bordit të Princit i Grupit për Këshillimin e Pakicave Etnike. Prej 1985-1996 Niku ka punuar si drejtues i Centrepoint, shoqatë bamirëse dhe strehuese për te rinjtë e pastrehë. Gjatë asaj kohe Niku ka qenë i deleguar në Degën e Ambientit për gjashtë muaj, gjatë së cilës kohë ka shërbyer si këshilltarë i Ministrit të Qeverisë për iniciativën shtetërore për ata që flejnë rrugëve.

Chris Lowry
Chris Lowry ka qenë drejtuese e Ekipit të Aeroportit për Programin Kosovar të Këshillit të Refugjatëve. Ekipi përbëhet prej nji grupi dinamik të punonjësve shqiptarë. Ajo ju ka bashkangjitur Këshillit në fillim të programit në prill të 99-ës. Ka punuar me OJQ të ndryshme dhe ka në plan të punojë në Kosovë, që të marrë pjesë në përpjekjen për rindërtim.

Maggie O'Kane
Maggie O'Kane është korrespondente speciale e të përditshmes The Guardian. Për punimet e saja në lajmet nga bota ka marrë gati të gjitha çmimet e mundshme duke përfshirë: Gazetarja e Vitit, Korrespondentja e vitit për botën e jashtme e Amnesty International, Çmimi i Shoqatës Mbretërore Televizive dhe Çmimi James Cameron për gazetari të integrimit. Punimet e saja të fundit i kanë prezentuar luftërat në Çeçeni dhe Kosovë. Fushat e specializimit të saj përfshijnë Lindjen e Mesme, Ballkanin, Kamboxhën, Tibetin, Afganistanin, Borxhin e Botës së Tretë dhe Irlandën Veriore.

Biographies

Julia Purcell

Julia Purcell is the interagency coordinator for the Refugee Council Kosovan Programme. She started at the Refugee Council in 1989 as an advice worker and has since worked on information and policy issues. In 1993 she worked with the UNHCR in Afghanistan.

Mike Young

Mike Young currently works as Co-ordinator of the NGO Reference Group on refugees in former Yugoslavia, a networking project bringing together NGOs which work with refugees and asylum seekers in countries of exile, and those working on the ground with war-affected populations in the region. He has worked as Information Manager for the Bosnia Project, a temporary protection programme for refugees from the Bosnian war, between 1993 and 1996, and also as Information Manager for the British Refugee Council.

Photographers

Dan Atkin

Dan Atkin studied politics, modern history and law before taking up photography in 1994. He first started photographing refugees and asylum seekers in 1995, his interest centring on how to depict photographically the difficulties they faced and their determination to survive and prosper. His work has been shown in the Independent Magazine. Future projects include a website and book.

Howard Davies

Howard Davies has been documenting the lives of refugees and asylum seekers for more than twelve years. The pictures have been widely published and the exhibition 'Images of Exile' toured internationally. A photo library Exile Images (www.exileimages.co.uk) features much of his work during the last decade, covering refugee crises, including Kosovo.

Nigel Dickinson

Nigel Dickinson is an editorial photographer and photo-journalist. Originally from Birmingham, he now works from Paris. As well as shooting news and feature stories, Nigel also works with humanitarian aid and environment agencies. His work focuses on marginalised communities, such as the struggle at a minority pit during the Great Strike and blockades by Dayak tribes in Borneo. Currently his work focuses on gypsies in Europe and he undertook several visits to the Balkans to cover the exodus of Roma people from Kosovo.

Rod Harbinson

Whilst Senior Information Officer on the Refugee Council Kosovan Programme Rod Harbinson co-ordinated a range of projects including the monthly magazine 'The Messenger' and a documentary video on Kosovo. Previously he has edited books on Patents on life, Europe's forests and European transport policies; which have also featured his writing and photography. A variety of books, magazines and newspapers have published his environmental and human rights work on Southeast Asia and Central and Eastern Europe.

Jennifer Idrizi

Jennifer Idrizi accompanied the first return flight of evacuees back to Kosova, 26 July 1999. Her pictures from this assignment featured in an international exhibition by Albanian artists called 'Yesterday, Today, Tomorrow'.

Don McPhee

Don McPhee is a staff photographer for the Guardian newspaper.

Biografitë

Julia Purcell

Julia Purcell është bashkërenduese ndër-agjencionale për Programin Kosovar të Këshillit të Refugjatëve. Në Këshill ka filluar të punojë në vitin 1989 si punonjëse këshilluese dhe prej atëhere punon në çashtje të informimit dhe politikës. Në vitin 1993 ka punuar me UNHCR-në në Afganistan.

Mike Young

Mike Young momentalisht punon si Ko-ordinatorë i OJQ Grupi i Referimit për refugjatët nga ish-Jugosllavia, projekt i ndërlidhur që i bashkon OJQ-të që punojnë me refugjatë dhe të ikur në vendet ku janë strehuar dhe ato që punojnë me njerëzit që kanë pësuar nga lufta, në vendet ku ata banojnë. Ka punuar si drejtues Informacioni per Projektin e Bosnjës, program i përkohshëm për mbrojtjen e refugjatëve të ikur nga lufta në Bosnje, gjatë viteve 1993-1996, dhe po ashtu ka punuar si drejtues Informacioni për Këshillin e Refugjatëve Britanez.

Fotografët

Dan Atkin

Ka studiuar për shkenca politike, histori moderne dhe drejtësi, mandej më 1994 fillon të merret me fotografi. Në fillim, në vitin 1995, fotografonte refugjatët dhe azilkërkuesit, me qëllim që të nxirrte në pah me mjete fotografike vështirësitë që kalonin këta njerëz dhe vendosmërinë e tyre për të jetuar e mirësuar gjendjen. Punimet e tij janë botuar në Revistën Independent. Në projektet e ardhshme përfshihet një *website* dhe një libër.

Howard Davies

Howard - i ka punuar përmbi dymbëdhjetë vjet për të pasqyruar me dokumente jetën e refugjatëve dhe të azilkërkuesve. Punimet e tij janë botuar gjithandej dhe ekspozita "Imazhe Mërgimi" është hapur nëpër botë. Fototeka me të njëjtin titull (www.exileimages.co.uk) paraqet pjesën dërrmuese të punës së tij gjatë këtyre dhjetë vjetëve të fundit, dhe pasqyron krizat e refugjatëve, përfshirë edhe atë të Kosovës.

Nigel Dickinson

Nigel-i është fotograf redaksional dhe fotoreporter. Është me prejardhje nga Birmingami, dhe tani punon në Paris. Përveç punës për lajme e rubrika, Najxhëll punon edhe me agjenci të ndihmave humanitare dhe të mjedisit. Punën e ka përqendruar te gjendja e bashkësive të anashkaluara, si bie fjala, te përpjekjet e një grushti pakicash gjatë Grevës së Madhe të fiseve Dejak, dhe te bllokada e Borneos. Kohët e fundit ua ka kushtuar vëmendjen romëve të Evropës dhe ka bërë disa udhëtime në Ballkan për të pasqyruar largimin e romëve nga Kosova.

Rod Harbinson

Si përgjegjës i Zyrës së Informacionit për Programin e Kosovës, Rodi ka bashkërenduar punën e lloj të ndryshme botimesh, midis të cilave edhe për revistën e përmuajshme "Lajmëtari", dhe një video për Kosovën. Më parë Rodi është marrë me botimin e dy librave që trajtojnë shkrimet e tij dokumentare dhe punimet fotografike për Pyjet e Evropës dhe për politikën e transportit evropian. Punimet e tij për tema të mjedisit dhe të të drejtave të njeriut në Azinë Juglindore dhe në Evropën Qendrore kanë dalë në botime të ndryshme, si libra, revista e gazeta.

Jennifer Idrizi

Xheniferi ishte me grupin e parë të të evakuuarve që u kthyen në Kosovë më 26 korrik 1999. Fotografitë e saj nga ky udhëtim u paraqitën në një ekspozitë të artistëve shqiptarë me titull "Dje, Sot, Nesër".

Don McPhee

Doni është fotograf i personelit të gazetës the Guardian.

Biographies

Carlos Reyes-Manzo

Carlos Reyes-Manzo was born in Chile and has been a photojournalist for 30 years. After the military coup in 1973, he spent two years in a concentration camp for political prisoners. In 1975, he was sent into exile to Panama where he worked for the national and international press. In 1979, he was expelled from Panama on account of his documentary work and has since lived in Britain. In 1982, he established the Andes Press Agency and has travelled widely as a documentary photographer. His photographic work has been published extensively in newspapers, magazines and books and he has held numerous exhibitions.

Andrew Testa

Andrew Testa is a freelance photographer born in London in 1965. He works for a range of publications including The Observer, The New York Times and The Guardian. He began covering the conflict in Kosovo in November 1998. Awards include the Amnesty International Award for his coverage in Kosovo, A World Press Photo Award for coverage of Hunt Saboteurs in England and a Nikon Photo Essay Award for work on the Road Protest movement in Britain.

Biografitë

Carlos Reyes-Manzo

Carlos Reyes-Manzo lindi në Kil dhe ka punuar si fotoreporter për 30 vjet. Pas grushtit të shtetit ushtarak, kaloi dy vjet në një kamp përqendrimi për të burgosurit politik. Më 1975 u internua në Panamë ku punoi për shtypin kombëtar dhe ndërkombëtar. Më 1979 u dëbua nga Panamaja për arsye të punimeve dokumentare, dhe që prej asaj kohe ka jetuar në Britani. Më 1982 themeloi Agjencinë e Shtypit Andes, dhe ka bërë udhëtime të shumta si fotograf dokumentar. Punimet fotografike janë botuar gjerësisht në gazeta, revista dhe libra; Karlos ka hapur shumë ekspozita.

Andrew Testa

Andrew - i është fotograf i pavarur. Ka lindur në Londër më 1965. Punon për një sërë botuesish, përfshirë The Observer, The New York Times dhe The Guardian. Filloi të merret me Kosovën në nëntor 1998. Midis të tjerave, ka fituar Çmimin e Amnistisë Ndërkombëtare për pasqyrimin e ngjarjeve në Kosovë, Çmimin e Shtypit Botëror për Sabotuesit e Gjuetisë në Angli, dhe Çmimin Nikon të Esesë Fotografike për punimet lidhur me lëvizjen e Protestave Rrugore në Britani.

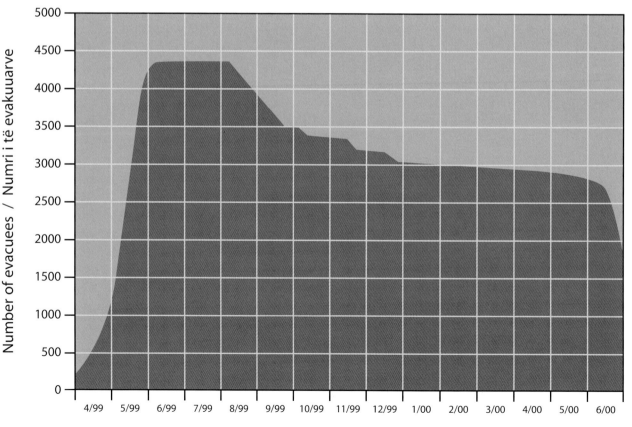

Arrival of evacuees to the UK and rate of voluntary return to Kosovo
Ardhja e refugjatëve në MB dhe shkalla e kthimit vullnetar në Kosovë

Number of evacuees / Numri i të evakuuarve

Time scale / Shkalla kohore

Kosovo

Prokuplje

Novi Pazar

Montenegro

Rozaje

Besiana

Mitrovica

Medveda

Vushtri

Istog

KOSOVA

PRISHTINA

Peja

Sllatina

Fushë Kosova

Deçan

Gjakova

Gjilan

Bujanovac

Rahovec

Ferizaj

Prizren

ALBANIA

FORMER
YUGOSLAV
REPUBLIC OF
MACEDONIA

SKOPJE

Glossary

Editor's note on the spelling of names and language usage.

This book uses the spelling 'Kosovo' in the English because it is the internationally recognised English spelling. However we recognise that this spelling is controversial because it derives from the Serb and not the Albanian 'Kosova'. All other place names in Kosovo are written in the Albanian spelling.

Most of the Albanian text appears in standard Albanian language, which is dominated by the Tosk dialect from southern Albania. Some texts are written in the Gheg dialect (most commonly spoken in Kosovo) to preserve the authenticity of interviews and some texts originally written in Albanian.

Exceptional Leave to Enter/Remain (ELE/ELR).
Kosovars who arrived in the UK under the Humanitarian Evacuation Programme were given 12 months' Exceptional Leave to Enter (ELE) in the UK. The rights of refugees (see below) are laid down in international law, whereas the rights and entitlements of people with ELE, or ELR, are set by the UK Government.

Federal Republic of Yugoslavia (FRY).
Kosovo is under KFOR protection, but is part of FRY, which also includes the republics of Montenegro and Serbia. Under the peace agreement, no provision was made for Kosovo's independence, and its future status is unclear. The president of FRY is Slobodan Milosevic and the Yugoslav Government is based in Serbia.

Humanitarian Evacuation Programme (HEP).
The programme was co-ordinated by UNHCR and IOM (see below). Forty countries offered to accept Kosovars evacuated from refugee camps in Macedonia. Around 100,000 people were evacuated in total, of which 4,346 came to the UK.

International Criminal Tribunal on former Yugoslavia (ICTY).
The ICTY was established to prosecute people responsible for serious violations of International Humanitarian Law in the former Yugoslavia since 1991. It is part of the United Nations.

International Organisation for Migration (IOM).
IOM is an intergovernmental body which works with international partners. IOM was tasked with organising the voluntary return of Kosovars from non-neighbouring countries. Upon the request of individuals and host countries, IOM, in co-ordination with UNHCR, organised the safe and

Glosari

Shënim i redaksisë për drejtshkrimin e emrave dhe përdorimin e gjuhës.
Ky libër përdor në anglisht variantin "Kosovo" mbasi kjo shkrojtësi njihet në të gjithë botën. Megjithatë, jemi të vetëdijshëm se kjo mënyrë e shkrimit është diskutabile, meqë vjen nga sërbishtja dhe jo nga shqipja "Kosova". Të gjitha toponimet e tjera janë në shkrojtësinë shqipe.

Pjesa më e madhe e tekstit në shqip është në gjuhën zyrtare shqipe, të mbizotëruar nga dialekti tosk i Shqipërisë Jugore. Disa shkrime janë në gegënishte (e folur në të gjithë Kosovën) me qëllim që të ruhet origjinaliteti i intervistës dhe të mos ndryshohen tekstet e shkruara ashtu në origjinalin shqip.

Leje e Jashtëzakonshme Hyrjeje/Qëndrimi (ELE/ELR).
Kosovarët që erdhën në Mbretërinë e Bashkuar me Programin e Evakuimit Humanitar morën Leje të Jashtëzakonshme Hyrjeje (ELE) për të qëndruar dymbëdhjetë muaj në këtë vend. Të drejtat e refugjatëve (shih më poshtë) përcaktohen me ligj ndërkombëtar, ndërsa të drejtat e njerëzve të pajisur me këtë lloj lejeje (ElE ose ELR) përcaktohen nga qeveria britanike.

Republika Federale e Jugosllavisë (RFJ).
Kosova është nën mbrojtjen e KFOR-it, por është pjesë e RFJ-së, që përfshin Republikën e Malit të Zi dhe Sërbinë. Marrëveshja e paqes nuk përcakton asnjë dispozitë për pavarësinë e Kosovës, dhe e ardhmja e statusit të saj është e paqartë. Presidenti i RFJ-së është Sllobodan Millosheviqi dhe qeveria jugosllave e ka selinë në Sërbi.

Programi i Evakuimit Humanitar (PEH – anglisht HEP).
Ky program u realizua në bashkërendim midis UNHCR-së dhe IOM-së (shih më poshtë); 40 vende pranuan të marrin kosovarë që do të nxirreshin nga kampet e refugjatëve në Maqedoni. Rreth 100.000 vetë u hoqën gjithsej nga këto kampe, prej të cilëve 4.346 erdhën në Mbretërinë e Bashkuar.

Gjykata Kriminale Ndërkombëtare për ish-Jugosllavinë (GJKNIJ).
U themelua për të proceduar kundër personave përgjegjës për shkelje serioze të Ligjit Ndërkombëtar Humanitar në ish-Jusogllavi që nga 1991. Gjykata është pjesë e Kombeve të Bashkuara.

Organizata Ndërkombëtare për Migracionin (ONM – anglisht IOM).
Është një ent ndërqeveritar që punon bashkë me partnerë ndërkombëtarë. Ka si detyrë të organizojë kthimin vullnetar të kosovarëve nga vendet e tjera, përveç vendeve fqinje. Me kërkesën e personave të interesuar dhe të vendeve pritëse, ONM-ja në bashkëpunim me UNHCR-në organizoi kthimin e sigurt dhe të rregullt të kosovarëve që kishin dalë në vende të tjera me ndihmë ndërkombëtare.

orderly return of Kosovars previously evacuated with international assistance to third countries.

Kosovan Liberation Army (KLA), (UÇK in Albanian). The KLA has been formally demilitarised. However, KLA supporters have formed their own political party, the Party of Democratic Progress of Kosovo (PPDK), now known as the Democratic Party of Kosovo (DPK), and some members have been accepted into the new Kosovo Protection Corps (KPC), others into the Kosovo Police Service (KPS).

Non-governmental Organisation (NGO).

North Atlantic Treaty Organisation (NATO).

The Organisation for Security and Co-operation in Europe (OSCE). Responsible for monitoring and promoting human rights, developing democratic institutions and organising and monitoring future elections in Kosovo.

Rambouillet. Talks held at Rambouillet, outside Paris, took place in February 1999 to attempt to reach a peace agreement for Kosovo. FRY refused to accept the conditions of the agreement, and the talks collapsed.

Refugee. The internationally agreed definition of a refugee was laid down in the 1951 UN Convention Relating to the Status of Refugees, as a person who has fled their country because of a well-founded fear of persecution for reasons of their race, religion, nationality, political opinion or membership in a particular social group, and who cannot or does not want to return. This is the definition used in UK law. A person is granted refugee status (asylum) if they meet the criteria set out in the 1951 Convention and its 1967 Protocol. For the purposes of this book, however, the term 'refugee' is used in a broader sense, to describe people who may not legally have been granted refugee status, but may have been given temporary protection.

United Nations High Commissioner for Refugees (UNHCR). The UNHCR is responsible for humanitarian operations and the co-ordination of international agencies working in Kosovo.

The United Nations Mission in Kosovo (UNMIK). UNMIK, an international civilian administration, was established in Kosovo under the UN Security Council Resolution 1244 in June 1999.

Ushtria Çlirimtare e Kosovës (UÇK). UÇK-ja zyrtarisht është çmilitarizuar. Por përkrahësit e saj kanë formuar partinë e vet politike, fillimisht të quajtur Partia e Përparimit Demokratik të Kosovës (PPDK), tani Partia Demokratike e Kosovës (PDK), dhe disa anëtarë të saj janë futur në Trupat Mbrojtëse të Kosovës (TMK), e disa të tjerë kanë hyrë në Shërbimin Policor të Kosovës (SHPK).

Organizatë Joqeveritare (OJQ).

Organizata e Traktatit të Atlantikut të Veriut (NATO).

Organizata për Sigurim dhe Bashkëpunim në Evropë (OSBE). Përgjigjet për mbikëqyrjen dhe kontrollin e respektimit të të drejtave të njeriut, për zhvillimin e institucioneve demokratike, si dhe për organizmin dhe mbikëqyrjen e zgjedhjeve të ardhshme në Kosovë.

Rambouillet (Rambujé). Bisedimet e Rambujesë, në afërsinë e Parisit, u mbajtën në shkurt 1999 në një përpjekje për ta arritur një marrëveshje të paqes për Kosovën. RFJ-a nuk i pranoi kushtet e marrëveshjes dhe bisedimet dështuan.

Refugjat. Përcaktimi i pranuar në nivel ndërkombëtar për refugjatin u vendos me Konventën e vitit 1951 të Kombeve të Bashkuara Lidhur me Statusin e Refugjatit. Sipas përcaktimit të kësaj Konvente, refugjati është person i larguar nga vendi i vet sepse ka arsye të bazuar t'i trembet përndjekjes për arsye të racës, besimit fetar, kombësisë, pikëpamjeve politike ose të përkatësisë në një grup të caktuar shoqëror, dhe që nuk dëshiron të kthehet atje. Ky është përcaktimi që përdoret në ligjin e Mbretërisë së Bashkuar. Një personi i jepet statusi i refugjatit (azili) në rast se plotëson kriteret e përcaktuara nga Konventa e 1951-it dhe nga Protokoli i saj i vitit 1967. Por, për qëllimet e këtij libri, termi refugjat përdoret me një kuptim paksa më të gjerë dhe përcakton një person që mund të mos e ketë marrë statusin e refugjatit, por i është dhënë mbrojtje e përkohshme.

Komisioneri i Lartë i Kombeve të Bashkuara për Refugjatë (KLKBR - anglisht UNHCR). UNHCR-ja përgjigjet për operacionet humanitare dhe për bashkërendimin e agjencive ndërkombëtare që punojnë në Kosovë.

Misioni i Kombeve të Bashkuara në Kosovë (UNMIK). UNMIK-u është një administratë civile ndërkombëtare e ngritur në Kosovë në bazë të Rezolutës 1244 të Këshillit të Sigurimit në qershor të vitit 1999.

Chronology

12th Century to 2000

- C12th–mid-C14th Establishment of early Serbian State which at its height included most of Kosovo.
- 1389 Battle of Kosovo Polje – key in Serbian mythology. Over the next 600 years, Ottoman Turkish rule extended over Serbia.
- 1913 Following invasion and military conquest, Serbia's rule over most of Kosovo is approved by the Great Powers.
- 1946 Federal People's Republic of Yugoslavia proclaimed.
- 1974 New Yugoslav Constitution makes Kosovo an autonomous province within the republic of Serbia.
- 1987 Under Slobodan Milosevic the League of Serbian Communists resolve to limit Kosovo's authority.
- 1989 Serbia takes control of Kosovo's police, judiciary and civil defence. Hundreds arrested and held in administrative detention.
- 1990 Discrimination against Kosovan Albanians intensifies. Kosovan Albanians declare Kosovo independent. Serbia adopts a new constitution depriving Kosovo and Vojvodina of autonomy.
- 1991 Widespread dismissal of Kosovan Albanians working in the public sector. Parallel education and health systems are set up as the majority of Kosovan Albanians are excluded from mainstream services.
- 1992 Kosovan Albanians hold their own elections not recognized by Serbia. They prefer to recognize a 'government in exile' as their legal representative.
- 1995 Dayton Accord brings to an end the Bosnian-Serbian-Croatian conflicts. The Kosovo issue is not discussed.
- 1996 The Kosovo Liberation Army (KLA, or UCK in Albanian) first emerges. Until now Kosovan Albanian political opposition to Serbian repression has been non-violent.
- 1997 Clashes between the KLA and Yugoslav forces increase. KLA declares some areas of Kosovo to be 'liberated' territory.
- 1998 Yugoslav forces launch a major assault on central Kosovo, emptying many towns and villages of their Kosovan Albanian population.
- 1998 A cease-fire and peace talks are forced by the international community.

1999
February
Peace talks in Rambouillet collapse as the Yugoslav government refuses to sign a peace agreement.
March
- US special envoy, Richard Holbrooke, arrives in Belgrade to persuade FRY President, Slobodan Milosevic, to accept the Rambouillet accord.
- Serb parliament rejects NATO demands to send peacekeeping forces into Kosovo. NATO authorizes air strikes.
- One third of Yugoslavia's total armed forces mass in and around Kosova.
- NATO air strikes start. Russia suspends co-operation with NATO.
- FRY breaks off diplomatic relations with France, Germany, UK and United States.
- Yugoslav armed units drive thousands of ethnic Albanians out of their homes and villages, executing some and setting fire to many houses.
- A Security Council resolution tabled by Russia calling for an end to NATO's action in Kosovo is defeated.
- Kosovan Albanians fleeing or expelled from Kosovo begin to pour into Albania and The Former Yugoslav Republic of Macedonia (FYROM).
- Slobodan Milosevic offers to withdraw some forces from Kosovo if NATO halts air war. Offer is rejected.

Kronologjia

Prej shekullit 12 deri në vitin 2000

Rreth shek. 12–14 themelohet shteti i hershëm i Sërbisë, i cili në kulmin e vet, përfshinte shumicën e Kosovës.
- 1389 Beteja e Fushë-Kosovës – kyçe në mitologjinë sërbe. Për 600 vjetët e ardhshme, gjithë Sërbia bjen nën sundimin osman.
- 1913 Pas ndërhyrjes ushtarake dhe pushtimit, sundimi sërb mbi shumicën e Kosovës miratohet nga Fuqitë e Mëdha.
- 1946 Shpallet Republika Federale e Jugosllavisë.
- 1974 Kushtetuta e Re e Jugosllavisë e shpall Kosovën krahinë autonome brenda Republikës së Sërbisë
- 1987 Lidhja Komuniste e Sërbisë, nën Sllobodan Millosheviqin, vendos t'ia kufizojë pushtetin Kosovës.
- 1989 Sërbia merr nën kontroll policinë, gjyqet dhe mbrojtjen civile të Kosovës. Qindra arrestohen dhe mbahen në paraburgim.
- 1990 Shtohet diskriminimi kundër shqiptarëve të Kosovës. Shqiptarët e shpallin Kosovën të pavarur. Sërbia miraton kushtetutën e re që ia heq autonominë Kosovës dhe Vojvodinës.
- 1991 Pushime masive nga puna e shqiptarëve të Kosovës që punonin në sektorin shtetëror. Ngrihet sistemi paralel për arsimin dhe shëndetësinë derisa shumica e shqiptarëve të Kosovës përjashtohen nga shërbimet kryesore.
- 1992 Shqiptarët e Kosovës mbajnë zgjedhjet e veta, që Sërbia nuk i njeh. Shqiptarët pranojnë të njohin "qeverinë në mërgim" si përfaqësuesen e tyre legjitime.
- 1995 Marrëveshja e Dejtonit i jep fund luftërave Boshnjako-Sërbo-Kroate. Çështja e Kosovës nuk diskutohet.
- 1996 Del për të parën herë Ushtria Çlirimtare e Kosovës (UÇK). Deri në këtë kohë, opozita politike e shqiptarëve të Kosovës ndaj shtypjes sërbe ka qenë e padhunshme.
- 1997 Shtohen luftimet midis UÇK-së dhe forcave jugosllave. UÇK-ja shpall si territor të "çliruar" disa zona të Kosovës.
- 1998 Forcat jugosllave ndërmarrin ofenzivë në Kosovën Qendrore, duke spastruar krejt popullsinë shqiptare në shumë qytete e fshatra.
- 1998 Bashkësia ndërkombëtare arrin të imponojë armëpushim dhe bisedime për paqe.

1999
Shkurt
Dështojnë bisedimet për paqe në Rambuje, sepse qeveria jugosllave nuk pranon ta nënshkruajë marrëveshjen e paqes.
Mars
- I dërguari i posaçëm i SHBA, Riçard Holbruk, mbërrin në Beograd për ta bindë Presidentin e RFJ-së, Sllobodan Millosheviqin, ta pranojë marrëveshjen e Rambujesë.
- Parlamenti sërb refuzon kërkesat e NATO-s për dërgimin e forcave paqeruajtëse në Kosovë. NATO autorizon sulmet ajrore.
- Një e treta e forcave të armatosura të Jugosllavisë grumbullohen rreth Kosovës ose vendosen në Kosovë.
- Fillojnë sulmet ajrore të NATO-s. Rusia ndërpret bashkëpunimin me NATO-n.
- RFJ ndërpret marrëdhëniet diplomatike me Francën, Gjermaninë, Mbretërinë e Bashkuar dhe SHBA.
- Njësi të armatosura jugosllave dëbojnë mijëra shqiptarë etnikë nga shtëpitë e fshatrat e tyre, vrajnë shumë dhe kallin shumë shtëpi.
- Hidhet poshtë rezoluta e paraqitur nga Rusia në Këshillin e Sigurimit, që kërkon ndërprerjen e aksioneve të NATO-s.
- Shqiptarët e Kosovës që ikin ose dëbohen nga Kosova dynden në Shqipëri dhe në Maqedoni.
- Sllobodan Millosheviqi propozon ta tërheqë një pjesë të forcave nga Kosova me kusht që NATO-ja ta ndërpresë luftën ajrore. Propozimi hidhet poshtë.
- Trenat mbushen me shqiptarë që dëbohen drejt kufirit Maqedon. UNHCR thotë se numri i tyre është 125 000 vetë.
Prill
- Dhjetra mija shqiptarë të Kosovës vazhdojnë të vërshojnë nga Kosova. Mbledhje e Komitetit të Përhershëm të Mbretërisë së Bashkuar. Ministria e Brendshme pranon ta financojë planifikimin paraprak për evakuim.
- Sulmet e NATO-s godasin ndërtesat qeveritare në Beograd. FYROM-i thotë se nuk do të pranojë më refugjatë nga kufiri në

Chronology

• Trains carry Kosovan Albanians who have been expelled to the FYROM border. The United Nations High Commissioner for Refugees (UNHCR) says exodus has reached 125,000.

April

• Tens of thousands of Kosovan Albanians continue to pour out of Kosovo. Meeting of the Standing Committee in the UK. The Home Office agrees to fund initial planning for an evacuation.

• NATO strikes hit government buildings in Belgrade. FYROM says it will no longer allow refugees through its borders unless they continue on to third countries. It is estimated that between 50,000–100,000 refugees are waiting on the border.

• The number of refugees in Albania and FYROM reaches 400,000. Jack Straw announces that the UK is to accept 'some thousands' of Kosovans. The Refugee Council is to co-ordinate the reception in the UK which will be run by the voluntary sector. The focus is on finding accommodation.

• UN Secretary-General Kofi Annan makes a statement establishing five conditions for an end to the conflict: an end to the violence; withdrawal of Yugoslav forces; deployment of peacekeeping force; return of refugees; and resumption of talks for a political solution.

• NATO confirms that it has hit a refugee convoy, mistaking it for a tank column. The international community's five conditions are reiterated.

• 25th April – First Humanitarian Evacuation Programme (HEP) flight arrives at Leeds/Bradford airport. The first reception centres open in Leeds.

May

• Tony Blair (UK Prime Minister) and his wife, Cherie, visit FYROM. Jack Straw announces that the UK will accept 1000 Kosovans a week on the HEP. As the scale of the programme increases, local authorities also start running reception centres.

• G-8 Foreign Ministers issue a statement adopting seven key principles on the political solution to the Kosovo crisis. The peace process is handed back to the UN Security Council. Kofi Annan announces the appointments of Carl Bildt (former Swedish PM) and Eduard Kukan (Foreign Minister of Slovakia) as Special Envoys of the Secretary General for the Balkans.

• NATO bombs the Chinese Embassy in Belgrade, killing three Chinese journalists.

• After his trip to the region, Sergio de Mello, the Head of the UN Needs Assessment Mission to FRY, states that there is clear evidence of a deliberate campaign of ethnic cleansing in Kosovo.

June

• FRY declares that it will accept the G-8 principles for a resolution of the Kosovo crisis.

• Negotiators from Europe and Russia agree to a peace plan which they take to Belgrade. The International Court of Justice in the Hague rejects the Yugoslav request to halt the bombing, but expresses concern about the legal basis for the air strikes.

• The FRY Government and Serbian Parliament agree to the peace plan which commits FRY to withdraw its forces from Kosovo.

• Talks between FRY and NATO representatives begin for the withdrawal of Serbian troops.

• Terms for a withdrawal of Yugoslav forces are not agreed and talks are suspended. NATO intensifies the bombing. G-8 Ministers try to finalise a UN resolution to enforce a peace deal. FRY insists that it wants a UN Security Council Resolution before any foreign troops enter Kosovo.

• The G-8 Ministers agree to a draft text of a UN Security Council Resolution. There are more than one million Kosovan refugees in asylum countries.

Kronologjia

rast se nuk nisen për në vende të tjera. Mendohet se rreth 50 mijë deri në 100 mijë refugjatë presin buzë kufirit.

• Numri i refugjatëve në Shqipëri dhe në Maqedoni arrin në 400 000. Jack Straw njofton se Britania do të pranojë "disa mijëra" kosovarë.
Këshilli i Refugjatëve caktohet ta bëjë bashkërendimin e pritjes së refugjatëve në Britani, që organizohet nga sektori vullnetar. Çështja kryesore është gjetja e strehimit.

• Sekretari i Përgjithshëm i Kombeve të Bashkuara, Kofi Anani, bën një deklaratë duke parashtruar pesë kushte për t'i dhënë fund konfliktit: ndalimi i dhunës, tërheqja e forcave jugosllave, dislokimi i forcave paqeruajtëse, kthimi i refugjatëve dhe rifillimi i bisedimeve për zgjidhje paqësore.

• NATO-ja konfirmon se ka goditur një varg refugjatësh, duke kujtuar se është kolonë tankesh. Bashkësia Ndërkombëtare përsërit pesë kushtet.

• 25 prill, mbërrin në aeroportin e Lids/Bredfordit aeroplani i parë me Programin e Evakuimit Humanitar (HEP). Hapet qendra e parë e pritjes në Lids.

Maj

• Tony Blair (Kryeministri Britanik) me bashkëshorten, Cherie, vizitojnë Maqedoninë. Jack Straw njofton se Britania do t'i pranojë 1000 kosovarë një javë pas fillimit të programit të evakuimit. Me shtrirjen e programit, pushteti vendor organizon qendrat e pritjes.

• Ministrat e Punëve të Jashtme të G-8 nxjerrin një deklaratë me shtatë parime kryesore për zgjidhjen politike të krizës së Kosovës. Procesi i paqes i kalohet përsëri Këshillit të Sigurimit të OKB-së. Kofi Annani njofton emërimin e Carl Bildt-it (ish-kryeministër i Suedisë) dhe Eduard Kukan-it (Ministër i punëve të Jashtme të Sllovakisë) si të dërguar të posaçëm të Sekretarit të Përgjithshëm për Ballkanin.

• NATO-ja bombardon ambasadën kineze në Beograd, duke vrarë tre gazetarë kinezë.

• Pas një vizite në rajon, Sergio de Mello, kryetar i misionit të vlerësimit të nevojave për OKB-në në RFJ deklaron se ka dëshmi të qarta të fushatës për spastrimin etnik të Kosovës.

• RFJ deklaron se pranon parimet e G-8 për zgjidhjen e krizës së Kosovës.

• Negociatorët nga Evropa dhe Rusia pranojnë një plan paqeje që ia parashtrojnë Beogradit. Gjykata Ndërkombëtare e Hagës hedh poshtë kërkesën e Jugosllavisë për ndalimin e bombardimeve, por shpreh shqetësimin për bazën ligjore të sulmeve ajrore.

• Qeveria e RFJ-së dhe parlamenti sërb pranojnë planin e paqes që e detyron RFJ-në t'i tërheqë forcat nga Kosova.

• Fillojnë bisedimet ndërmjet përfaqësuesve të NATO-s dhe të RFJ-së për tërheqjen e trupave sërbe.

• Nuk pranohen kushtet për tërheqjen e forcave jugosllave dhe bisedimet pezullohen. NATO-ja intensifikon bombardimet. Ministrat e G-8 përpiqen të përmbyllin një rezolutë të OKB-së për t'i shtrënguar palët të pranojnë marrëveshjen e paqes. RFJ kërkon me këmbëngulje një rezolutë të Këshillit të Sigurimit të OKB-së para se trupat e huaja të hyjnë në Kosovë.

• Ministrat e G-8 miratojnë tekstin e një Rezolute të Këshillit të Sigurimit të OKB-së. Numri i refugjatëve kosovarë në vendet e pritjes arrin në më shumë se një milion.

• Nënshkruhet Marrëveshja Ushtarako – Teknike midis NATO-s dhe përfaqësuesve të RFJ-së dhe të Republikës së Serbisë. Tani mund të fillojë tërheqja e forcave jugosllave.

• Rezoluta 1244 miratohet në Këshillin e Sigurimit të OKB-së. NATO-ja pezullon sulmet ajrore dhe forcat jugosllave nisin tërheqjen nga Kosova. Themelohet UNMIK-u, Administrata e Përkohshme e Kombeve të Bashkuara në Kosovë. Trupat e NATO-s hyjnë në Kosovë. Pak javë pas marrëveshjes, gati 90% e shqiptarëve të Kosovës në vendet fqinje kthehen në vendin e vet.

• Jack Straw njofton se programi i evakuimit humanitar do të mbyllet, dhe vendos pezullimin e vendimeve për personat nga RFJ. Qytetarët e RFJ-së do të marrin Leje të Jashtëzakonshme Qëndrimi (ELR) 12-mujore në Britani.

• Udhëtimi i fundit me programin e evakuimit humanitar e rritë në 4 346 numrin e shqiptarëve të Kosovës të ardhur në Britani.

Chronology

• A Military Technical Agreement is signed by NATO and representatives of FRY and the Republic of Serbia. A Yugoslav withdrawal can now begin.
• Resolution 1244 is adopted by the UN Security Council. NATO suspends air strikes and Yugoslav forces begin to withdraw from Kosovo. UNMIK, the United Nations Interim Administration in Kosovo, is established. NATO troops enter Kosovo. In the weeks following the agreement, almost 90% of the Kosovan Albanians in neighbouring countries return.
• Jack Straw announces that the HEP will end and the suspension of decisions on asylum claims from citizens of FRY. FRY citizens will be given 12 months' Exceptional Leave to Remain (ELR) in the UK.
• Last HEP flight, bringing total of Kosovan Albanians evacuated on the HEP to 4346.

July
• UNHCR host a meeting in Geneva between Governments of countries which participated in the HEP to discuss return. It is agreed that UNHCR and International Organization for Migration (IOM) will co-ordinate the return programme.
• Massacre of 14 Kosovan Serb farmers.
• 26th July – First return flight to Kosovo from the UK.

September
• Jack Straw announces the lifting of the suspension on decisions on applications for asylum from citizens of FRY. The Home Office believes that 'ethnic Albanians are generally safe from persecution in Kosovo'. Jack Straw also announces that heads of households and community leaders with ELR (including those who did not arrive on the HEP) will be able to go to Kosovo on 'Explore and Prepare' visits. The family reunion concession given to Kosovan Albanians arriving on the HEP is withdrawn.

October
• The first reception centres close and people are moved into housing in the local community.

December
• First Explore and Prepare flight.
• The Home Office announces that extensions to ELR will not be made for Kosovan Albanians unless there are exceptional circumstances.

2000
March
• UNHCR produces guidelines on return which recognize that although the majority of Kosovan Albanians in third countries should be able to return home in safety, there are individuals who 'could face serious problems, including physical danger' if they are returned at the present time.

April
• Switzerland forces 58 Kosovan Albanians to return and announces plans to repatriate 20–25,000. First forced return from Australia.
• Bernard Kouchner, Head of the UN Mission in Kosovo calls for sustainable and dignified returns. He expresses concern about the destabilising effects of large-scale returns.
• ELR runs out for first arrivals on HEP.
• 'Out of Kosova' voter registration begins.
• Date given by Germany for the start of forced returns.

May
• The Home Office announces that the voluntary return grant will be increased and to be eligible Kosovan Albanians must register for return before 10th June.
• Switzerland declares intention to start forced returns.

June
• 25 June – the last ELR expires for those on the HEP. Voluntary Return Programme ends.

Source: chronology supplemented from Balkans Task Force publication 'The Kosovo Conflict – Consequences for the Environment and Human Settlement' (UNEP, UNCHS 1999).

Kronologjia

Korrik
• UNHCR-ja thërret një mbledhje në Gjenevë midis qeverive të vendeve që morën pjesë në programin e evakuimit humanitar, për ta diskutuar kthimin. Mbledhja pranon se UNHCR-ja dhe IOM do të merren me bashkërendimin e programit.
• Vrasja e 14 bujqve sërbë të Kosovës.
• 26 korrik – udhëtimi i parë i kthimit në Kosovë nga Britania.

Shtator
• Jack Straw bën të ditur se ndërpritet pezullimi i marrjes së vendimeve për kërkesat për azil nga qytetarët e RFJ-së. Ministria e Brendshme është e mendimit se "shqiptarët etnikë në përgjithësi nuk përndiqen në Kosovë". Jack Straw njofton po ashtu se kryefamiljarët dhe kryetarët e bashkësive që kanë leje të jashtëzakonshme qëndrimi (duke përfshirë edhe ata që nuk kishin ardhur me HEP kanë mundësi të shkojnë në Kosovë me programin "Kontroll dhe Përgatitje". Shqiptarëve të Kosovës të ardhur me HEP u hiqet e drejta për bashkim familjar.

Tetor
• Mbyllet qendra e parë e pritjes dhe njerëzit vendosen me banim në bashkësinë vendore.

Dhjetor
• Niset aeroplani i parë me programin Kontroll dhe Përgatitje.
• Ministria e Brendshme njofton se nuk do ta shtyjë afatin e lejeve të qëndrimit (ELR) për shqiptarët e Kosovës, përveç rasteve me rrethana të jashtëzakonshme.

2000
Mars
• UNHCR-ja nxjerr direktivat për kthimin, ku pranohet që edhe pse shumica e shqiptarëve të Kosovës mund të kthehen nga vendet e tjera pa frikë, ka persona që "mund të përballen me probleme serioze, përfshirë edhe rrezikun jetësor në rast se kthehen tani".

Prill
• Zvicra detyron 58 shqiptarë të Kosovës të kthehen dhe njofton se ka në plan t'i riatdhesojë 20 deri 25 mijë shqiptarë. Personat e parë kthehen me detyrim nga Australia.
• Bernard Kushner, kryetar i UNMIK-ut, bën thirrje për kthim të arsyeshëm e me dinjitet. Ai shpreh shqetësimin se kthimi masiv mund të shkaktojë prishje të stabilitetit.
• Mbaron leja e qëndrimit për personat që arritën të parët me programin e evakuimit HEP.
• Fillon regjistrimi i votuesve jashtë Kosovës.
• Gjermania cakton datën e fillimit të kthimit të detyrueshëm.

Maj
• Ministria e Brendshme njofton rritjen e fondit për kthimin vullnetar, dhe shqiptarët e Kosovës që duan të përfitojnë duhet të regjistrohen para 10 qershorit për t'u kthyer.
• Zvicra deklaron se ka me fillue kthimin e detyrueshëm.

Qershor
• 25 qershor – mbaron leja e fundit ELR për të ardhurit me programin HEP. Mbyllet Programi i Kthimit Vullnetar.

Burimi: kronologjia është e plotësuar nga botimi *Konflikti Kosovar – Pasojat për Mjedisin dhe Sistemimin Njerëzor* i Njësisë Operative të Ballkanit (UNEP, UNCHS 1999).

Contacts

Refugee Education & Training Advisory Service (RETAS)
World University Service
14 Dufferin Street
London
EC1Y 8PD
Drop-in advice service on Tuesdays and Thursdays from 10.00am to 12.30pm. Telephone advice services on Tuesdays and Thursdays from 2.30 to 5.00pm. Tel: 020 7426 5801 for enquiries about education and training in and around London only. No interpreters available.

Refugee Council Training & Employment Section
Careers Advice Team
240-250 Ferndale Road
London
SW9 8BB
Drop-in sessions from Monday-Friday, 10.00am to 1.00pm, for advice on education, careers and training opportunities. No interpreters available.

Oda
Kosovan Voluntary Return Project
166 Victoria Road
London
SW1E 5LB
Tel: 020 7820 8669 (telephone advice available from Albanian speakers). Drop in or telephone Monday-Friday, 10am to 5pm.

Refugee Council One Stop Service
240-250 Ferndale Road
London
SW9 8BB
Tel: 020 7346 6770
Telephone advice line (Monday-Friday, 10am to 1pm),
Tel: 020 7346 6777

Scottish Refugee Council
98 West George Street
Glasgow
G2 1PJ
Tel: 0141 332 9159

Refugee Legal Centre
Sussex House
39/45 Bermondsey Street
London
SE1 3XF
Tel: 020 7827 9090/Fax: 020 7378 1979
Monday, Tuesday, Wednesday and Friday, 8.30am to 6pm.

British Red Cross Society (BRCS)
Family Reunion Section
9 Grosvenor Crescent
London SW1X 7EJ
Tel: 020 7235 5454
Provides an international tracing service for families separated by conflict and a message service where communications have broken down due to war or disaster. It co-ordinates travel applications on behalf of UNHCR for family reunion and resettlement of recognised refugees from a first country to the UK.

Kontakte

Refugee Education & Training Advisory Service (RETAS)
(Shërbimi Këshillues i Arsimit dhe i Kualifikimit)
World University Service
(Shërbimi Universitar Botëror)
14 Dufferin Street
London
EC1Y 8PD
Kryen shërbime me këshilla të marteve dhe të enjteve, nga 10 - 12.30, si dhe shërbime me këshilla telefonike të marteve dhe të enjteve, nga ora 2.30 deri më 5.00 pasdite. Nëse keni pyetje për arsim e kualifikim vetëm në zonën e Londrës dhe në rrethinat e saj, telefononi 020 7426 5801. Përkthyes nuk ka.

Refugee Council Training & Employment Section
(Seksioni për Kualifikim e Punësim i Këshillit të Refugjatëve)
Careers Advice Team
(Zyra e Këshillave për Punë)
240-250 Ferndale Road
LONDON
SW9 8BB
Takimet bëhen nga e hëna deri të premten, nga ora 10.00 deri më 1.00. Jepen këshilla për arsim, vende pune dhe mundësi kualifikimi. Përkthyes nuk ka.

Oda
Kosovan Voluntary Return Project
(Projekti i Kthimit Vullnetar të Kosovarëve)
166 Victoria Road
LONDON
SW1E 5LB
Tel: 020 7820 8669 (këshillat me telefon jepen në gjuhën shqipe). Mund të shkoni ose të telefononi nga e hëna deri të premten, nga ora 10.00 deri në 5.

Refugee Council One Stop Service
(Shërbimi *One Stop* pranë Këshillit të Refugjatëve)
240-250 Ferndale Road
London
SW9 8BB
Tel: 020 7346 6770
Linja e këshillave telefonike (nga e hëna deri të premten, nga ora 10.00 deri në 1.00), Tel:020 7346 6777

Scottish Refugee Council
(Këshilli Skocez i Refugjatëve)
98 West George Street
Glasgow
G2 1PJ
Tel: 0141 332 9159

Refugee Legal Centre
(Qendra Ligjore për Refugjatë)
Sussex House
39/45 Bermondsey Street
London
SE1 3XF
Tel: 020 7827 9090
Faks: 020 7378 1979
Të hënën, të martën, të mërkurën dhe të premten, nga ora 8.30 deri në 6.00.

British Red Cross Society (BRCS)
(Shoqata e Kryqit të Kuq Britanik)
Family Reunion Section
(Seksioni i Bashkimit Familjar)
9 Grosvenor Crescent
London SW1X 7EJ
Tel: 020 7235 5454
Kryen shërbime për kërkimin e familjarëve të ndarë nga lufta dhe jep njoftime atje ku lufta ka shkatëruar sistemin e komunikimit.

Contacts

United Nations High Commissioner for Refugees (UNHCR)

21st Floor, Millbank Tower
London
SW1P 4QP
Tel: 020 7828 9191
UNHCR provides protection for refugees worldwide. In London they provide legal advice to refugees through the Refugee Legal Centre.

Refugee Action Mental Health Project

Centenary House, 54 North Street
Leeds
LS2 8JS
Tel: 0113 244 5345
The project works nationally to promote better mental health for refugees.

Medical Foundation for Care of Victims of Torture

96-98 Grafton Road
London
NW5 3EJ
Tel: 020 7813 7777
Drop-in or telephone advice, Monday–Friday, 1pm to 4pm. Advice by appointment, Monday–Friday, 9.30am to 6pm.

Kosovan Refugee Support Group

Refugee Training Partnership
St. Giles Centre
Camberwell Church Street
London
SE5 8RB
Tel: 020 7701 4775
Fax: 020 7703 9175
Mondays and Thursdays only.

Rose Court Centre

Iveson Rise
Cookridge
Leeds
LS16
Tel: 0113 261 2525
Fax: 0113 285 7847
Email: team@rose-court.freeserve.co.uk

KEPU*

CMUX4, IND Block C
Whitgift Centre
Wellesley Road
Croydon
CR9 1AT
Tel: 020 8760 3926/3221 (English speaking only)
Fax: 020 8760 3091

*A Home Office unit dealing specifically with Kosovars.

Community Groups

Klubi Kosova

c/o Rose Court Centre
Iveson Rise
Cookridge
Leeds
LS16 6NB
Tel: 0113 261 2525

Kontakte

Bashkërendon kërkesat për udhëtim në emër të UNHCR-së për bashkim familjar dhe sistemimin e refugjatëve të pranuar nga vendi i ardhjes në Mbretërinë e Bashkuar.

United Nations High Commissioner for Refugees (UNHCR) (Komisioneri i Lartë i Kombeve të Bashkuara për Refugjatë)

21st Floor, Millbank Tower
London
SW1P 4QP
Tel: 020 7828 9191
UNHCR-ja u siguron mbrojtje refugjatëve në të gjithë botën. Zyra e Londrës u jep këshilla ligjore refugjatëve nëpërmjet Qendrës Ligjore për Refugjatë.

Refugee Action Mental Health Project (Projekti i Verpimit për Shëndetin Mendor)

Centenary House
54 North Street
Leeds
LS2 8JS
Tel: 0113 244 5345
Projekti punon në shkallë kombëtare për përmirësimin e gjendjes psiçike të refugjatëve.

Medical Foundation for Care of Victims of Torture (Fondacioni Mjekësor për Kujdesin ndaj Viktimave të Torturave)

96-98 Grafton Road
London
NW5 3EJ
Tel: 020 7813 7777
Bën takime ose jep këshilla me telefon, nga e hëna deri të premten, ora nga 1.00 deri në 4.00. Para se të shkoni duhet të caktoni takim. Takimet bëhen të hënën deri të premten, nga ora 9.30 deri në 18.00.

Kosovan Refugee Support Group (Grupi i Përkrahjes së Refugjatëve Kosovarë)

Refugee Training Partnership
(Partneriteti i Kualifikimit të Refugjatëve)
St. Giles Centre
Camberwell Church Street
London
SE5 8RB
Tel: 020 7701 4775
Faks: 020 7703 9175
Punon vetëm të hënave dhe të enjteve.

Rose Court Centre (Qendra Rozë Kort)

Iveson Rise
Cookridge
London
LS16
Tel: 0113 261 2525
Faks: 0113 285 7847
Email: team@rose-court.freeserve.co.uk

KEPU*

CMUX4, IND Block C
Whitgift Centre
Wellesley Road
Croydon
CR9 1AT
Tel: 020 8760 3926/3221 (flitet vetëm anglisht)
Faks: 020 8760 3091

*Zyrë e Ministrisë së Brendshme që merret posaçërisht me kosovarët.

Contacts

Kosova Action Society
Leeds University Union
PO Box 157
Leeds
LS1 1UH
Tel: 0113 231 4276
Fax: 0113 244 8786

Kosovar Albanian Community in Derby
c/o Refugee Action
Suite 19
Beaufort Street Business Centre
Beaufort Street
Derby
DE21 6AX
Tel: 07944 459408
Main priorities are education and employment, but also helps people find English classes.

Ethnic Albanian Society
Unit 215
Custard Factory
Gibb Street
Digbeth
Birmingham
B4
Tel: 0121 689 0080
Mobile: 07788 527929

Albanian Youth Action
Unit E209
Westminster Business Square
Durham Street
London
SE11 5JH
Tel: 020 7582 6082
Fax: 020 7582 0696
Email: Albaction@aol.com
Provides advice, information and practical support for young people. Runs sporting activities, art and drama classes and English and Albanian classes.

Albanian Islamic Society & Centre
233 Seven Sisters Road
London
N4 2DH
Tel/Fax: 020 7263 7318
Email: zymer@aisc.freeserve.co.uk
Organises prayers, lectures and publishes religious books in Albanian and performs Islamic marriage rites.

Kosovan Refugee Support Group
Refugee Training Partnership
St Giles Centre
Camberwell Church Street
London
SE5 8RB
Tel: 020 7701 4775
Fax: 020 7703 9175
Provides advice and information on immigration, housing, social services, education and learning English. Runs Albanian classes for children.

Kontakte

Grupe të Bashkësisë

Klubi Kosova
c/o Rose Court Training Centre
(Qendra e Kualifikimit në Rozë Kort)
Iveson Rise
Cookridge
Leeds
LS16 6NB
Tel: 0113 261 2525

Kosova Action Society
(Shoqata e Veprimit Kosovar)
Leeds University Union
(Bashkimi Universitar i Lidzit)
PO Box 157
Leeds
LS1 1UH
Tel: 0113 231 4276
Faks: 0113 244 8786

Kosovar Albanian Community in Derby
(Bashkësia e Shqiptarëve të Kosovës në Derbi)
c/o Refugee Action
(për Veprimin Refugjat)
Suite 19
Beaufort Street Business Centre
Beaufort Street
Derby
DE21 6AX
Tel: 07944 459408
Objektivat kryesore janë arsimi dhe punësimi, por ndihmon njerëzit edhe për të gjetur shkolla për mësimin e anglishtes.

Ethnic Albanian Society
(Shoqata Etnike Shqiptare)
Unit 215
Custard Factory
Gibb Street
Digbeth
Birmingham
B4
Tel: 0121 689 0080
Mobil: 07788 527929

Albanian Youth Action
(Veprimi Rinor Shqiptar)
Unit E209
Westminster Business Square
Durham Street
London
SE11 5JH,
Tel: 020 7582 6082.
Faks: 020 7582 0696.
Email: Albaction@aol.com
Jep këshilla, informacion dhe ndihma praktike për të rinjtë. Organizon veprimtari sportive, artistike e teatrore, dhe mësime të gjuhës angleze e shqipe.

Albanian Islamic Society & Centre
(Shoqata dhe Qendra Islamike Shqiptare)
233 Seven Sisters Road
London
N4 2DH
Tel/Fax: 020 7263 7318
Email: zymer@aisc.freeserve.co.uk
Organizon falje, ligjërata dhe boton libra fetarë në gjuhën shqipe; bën ceremonitë e martesës me ritet islamike.

Contacts

Albanian School Kosova
5 Blantyre Walk
Off Brontary Street
World's End Estate
London
SW10 OEW
Tel: 020 7351 5139

Anglo Albanian Association
6/38 Holland Park Road
London
W11 3RP
Tel: 020 7727 0287
Email: pren1@compuserve.com
Acts as liaison point for individuals and organisations
involved in aid work in Albania and Kosovo.

The Alliance of Kosova Journalists
NUJ building
314 Grays Inn Road
Kings Cross
London
Tel: 020 7843 3705

Kosova Phoenix
c/o Marta Gazideda
104 Christchurch Road
London
SW2 3DF
Email: kosova_phoenix@hotmail.com

Hope for Kosova
356 Holloway Road
London
N7 6PA
Tel: 020 7700 0100 ext 239
Fax: 020 7700 0099
Email: Hamide@hotmail.com
Provides advice and information and raises awareness
about Kosovo in the UK and Ireland.

Community Development Fund, Kosova
Flaka Surroi, Fund Director
Tel: 063 763 646
Email: flakasurroi@yahoo.com

Kontakte

Kosovar Refugee Support Group
(Grupi i Përkrahjes së Refugjatëve Kosovarë)
Refugee Training Partnership
(Partneriteti për Kualifikimin e Refugjatëve)
St Giles Centre
Camberwell Church Street
London
SE5 8RB
Tel: 020 7701 4775
Faks: 020 7703 9175
Jep këshilla dhe informata për imigracionin, strehimin, shërbimet
sociale, arsimin dhe mësimin e anglishtes. Organizon mësime në
gjuhën shqipe për fëmijë.

Albanian School Kosova
(Shkolla Shqipe Kosova)
5 Blantyre Walk
Off Brontary Street
World's End Estate
London
SW10 OEW
Tel: 020 7351 5139

Anglo Albanian Association
(Shoqata Anglo-Shqiptare)
6/38 Holland Park Road
London
W11 3RP
Tel: 020 7727 0287
Email: pren1@compuserve.com
Vepron si pikë ndërlidhjeje për individë dhe për organizata që
punojnë për t'u ndihmuar Shqipërisë dhe Kosovës.

The Alliance of Kosova Journalists
(Lidhja e Gazetarëve të Kosovës)
NUJ building
314 Grays Inn Road
Kings Cross
London
Tel: 020 7843 3705

Kosova Phoenix
(Feniksi Kosovar)
c/o Marta Gazideda
(për Marta Gazidedën)
104 Christchurch Road
London
SW2 3DF
Email: kosova_phoenix@hotmail.com
Jep ndihmë praktike dhe përfaqëson bashkësinë kosovare në
Mbretërinë e Bashkuar.

Hope for Kosova
(Shpresë për Kosovën)
356 Holloway Road
London
N7 6PA
Tel: 020 7700 0100 ext 239
Faks: 020 7700 0099
Email: Hamide@hotmail.com
Jep këshilla dhe informacion, si dhe bën të njohur Kosovën në
Mbretërinë e Bashkuar dhe në Irlandë.

Community Development Fund, Kosova
Fondi i Zhvillimit Bashkiak, Kosovë
Flaka Surroi, Drejtore e Fondit
Tel: 063 763 646
Email: flakasurroi@yahoo.com

Websites

www.ric.com.ba
International Centre for Migration and Policy Development. Organisations working in Kosovo or with Kosovars in host countries post information on this website. Membership free of charge.

www.unhcr.ch
United Nations High Commissioner for Refugees (UNHCR) is responsible for the co-ordination of international agencies working in Kosovo. Many organisations post information about their activities here.

www.unicef.org/kosovo/
UNICEF is working in health and education in Kosovo.

www.iom.int
International Organisation for Migration, (IOM) organises the voluntary return flights. They also provide information about voluntary return from other countries.

www.kforonline.com
Official website of NATO Kosovo Force.

www.un.org/kosovo
United Nations website, which provides an overview of the UN mission in Kosovo.

www.reliefweb.int
Kosova Humanitarian Community Information Centre was established to meet the information needs of the humanitarian community working in Kosovo.

www.mod.uk/news/kosovo
Website produced jointly by the United Kingdom Ministry of Defence and the Foreign and Commonwealth Office. Contains a wide range of information about NATO's activities in Kosovo.

www.seerecon.org/
World Bank-European Commission site for Economic Reconstruction and Development in southeast Europe. Includes news on the latest reconstruction programmes and business opportunities in Kosovo.

www.state.gov/www/regions/eur/kosovo_hp.html
US state department site on Kosovo.

www.osce.org/kosovo
Website of the Organisation for Security and Co-operation in Europe, which has the lead role in matters relating to the building of institutions, democracy and human rights.

www.iwpr.net/index.pl5?balkans_index.html
The Institute for War and Peace Reporting has a network of leading correspondents who provide the website with analysis of events and issues in Kosovo, Serbia and the Balkan region as a whole.

Faqe në Interrjet

www.ric.com.ba
Qendra Ndërkombëtare për Migrim dhe Formulim të Rregulloreve. Organizatat që punojnë në Kosovë ose me kosovarët në vendet pritëse e pasqyrojnë informacionin në këtë faqe. Anëtarësia është falas.

www.unhcr.ch
Komisioneri i Lartë i Kombeve të Bashkuara për Refugjatë (UNHCR) përgjigjet për bashkërendimin e veprimtarive të agjencive ndërkombëtare në Kosovë. Shumë organizata e pasqyrojnë informacionin për punën e tyre në këtë faqe.

www.unicef.org/kosovo/
UNICEF-i punon për shëndetësinë dhe arsimin në Kosovë.

www.iom.int
Organizata Ndërkombëtare për Migrim (IOM) merret me organizimin e udhëtimeve të kthimit vullnetar. Jep edhe informata për kthimin vullnetar nga vendet tjera.

www.kforonline.com
Faqe zyrtare e forcave të NATO-s në Kosovë.

www.un.org/kosovo
Faqe e Kombeve të Bashkuara; paraqet një pamje të përgjithshme të misionit të Kombeve të Bashkuara në Kosovë.

www.reliefweb.int
Qendra Informative e Bashkësisë Humanitare u themelua për të dhënë informacion për bashkësinë humanitare që ka veprimtari në Kosovë.

www.mod.uk/news/kosovo
Faqe e ndërtuar bashkërisht nga Ministria e Mbrojtjes dhe nga Ministria e Punëve të Jashtme dhe Komonuelthit të Mbretërisë së Bashkuar. Përmban informata të larmishme për veprimtaritë e NATO-s në Kosovë.

www.seerecon.org/
Faqe e përbashkët e Bankës Botërore dhe e Komisionit Evropian për Rindërtimin Ekonomik dhe Zhvillimin e Evropës Juglindore. Përfshin lajmet e fundit për programet e rindërtimit dhe mundësitë për veprimtari ekonomike në Kosovë.

www.state.gov/www/regions/eur/kosovo_hp.html
Faqe e Departamentit të SHBA për Kosovën.

www.osce.org/kosovo
Faqe e Organizatës për Sigurim dhe Bashkëpunim në Evropë, që ka rolin udhëheqës për çështje të ndërtimit të institucioneve, të demokracisë dhe të drejtave të njeriut.

www.iwpr.net/index.pl5?balkans_index.html
Instituti i Raportimit për Luftë dhe Paqe ka një rrjet korrespondentësh me nam që japin analiza të ngjarjeve dhe problemeve të Kosovës, Sërbisë dhe rajonit të Ballkanit në tërësi.

www.crisisweb.org
Faqe e Grupit Ndërkombëtar të Krizës, ku jepen raportime të ndryshme për Kosovën dhe rajonin e Ballkanit.

Websites

www.crisisweb.org
International Crisis Group website which has various reports on Kosovo and the Balkan region.

www.amnesty.org
Amnesty website which has press releases and reports about Kosovo.

www.hrw.org
Webiste for Human Rights Watch, which monitor human rights around the world.

www.oneworld.org
Website which has links to a wide range of international development agencies.

www.ecre.org
Website of the European Council on Refugees and Exiles, which produces information about the situation for other refugees and exiles in Europe.

www.fam-english.demon.co.uk/albanian.pdf
Working with Kosovar-Albanian patients. A medical phrasebook and resource available on the Internet.

www.fjalajone.com
'Fjalajonë' is an online Albanian language magazine featuring a wide variety of articles.

www.refed.listbot.com
This discussion group puts refugee parents in touch with each other.

www.kosova.com
Website of the Kosova Information Centre.

www.prishtina.com
Unofficial website with information regarding Kosovo's capital.

www.albanian.com
An independent site which gives general information and news from Kosovo and Albania in Albanian.

www.geocities.com/Athens/Delphi/6875/mainenglish
Host of the Albanian Islamic Pages. It includes a translation of the Holy Qur'an and history of Islam in Albania and other lands inhabited with Albanians.

www.kosova-foundation.org
The Kosova Foundation for Economic Reconstruction and Redevelopment website offers job opportunities for Kosovan professionals and a possibility of registering with the foundation.

www.radio21.net
News from Kosovo and Albania.

Faqe në Interrjet

www.amnesty.org
Faqe e Amnestisë ku dalin njoftime të shtypit dhe raportime për Kosovën.

www.hrw.org
Faqe e Vëzhguesit të të Drejtave të Njeriut, që mbikëqyr të drejtat e njeriut në mbarë botën.

www.oneworld.org
Faqe që lidhet me një sërë agjencish ndërkombëtare të zhvillimit.

www.ecre.org
Faqe e Këshillit të Evropës për Refugjatët dhe Azilantët, që nxjerr informacion për gjendjen e refugjatëve dhe të azilantëve të tjerë në Evropë.

www.fam-english.demon.co.uk/albanian.pdf
Punon me Pacientë Kosovarë-Shqiptarë. Është një fjalorth shprehjesh të mjekësisë në Internet.

www.fjalajone.com
Fjala jonë është një revistë në gjuhën shqipe në Internet; në të botohen artikuj për çështje të larmishme.

www.refed.listbot.com
Është një grup diskutimi që lidh prindërit refugjatë me njëri-tjetrin.

www.kosova.com
Faqe e Qendrës Informative të Kosovës.

www.prishtina.com
Faqe jozyrtare me informata për kryeqytetin e Kosovës.

www.albanian.com
Faqe e pavarur me informata të përgjithshme dhe me lajme për Kosovën dhe Shqipërinë në gjuhën shqipe.

www.geocities.com/Athens/Delphi/6875/mainenglish.
Përmban faqet Islamike Shqiptare. Ka përkthimin shqip të Kuranit të Madhnueshëm dhe historinë e Islamit në Shqipëri dhe në trojet tjera të banuara me shqiptarë.

www.kosova-foundation.org
Faqja Fondacioni Kosovar për Rindërtim Ekonomik dhe Rizhvillim, jep të dhëna për mundësitë e punësimit për profesionistë; dhe mundësinë për t'u regjistruar në këtë fondacion.

www.radio21.net
Lajme nga Kosova dhe Shqipëria.